U-35
Under 35 Architects exhibition
35歳以下の若手建築家による建築の展覧会
2025

Gold Medal Award
（UNION 真鍮製）

Silver Medal Award
（UNION 真鍮製）

U-35

Under 35 Architects exhibition
35歳以下の若手建築家による建築の展覧会

2025年10月17日（金）- 27日（月）
12：00 - 20：00 ［11日間］ 開催期間無休

うめきたシップホール
〒530-0011　大阪市北区大深町4-1 グランフロント大阪 うめきた広場 2F

主　　催		特定非営利活動法人アートアンドアーキテクトフェスタ
共　　催		文化庁
特 別 協 力		一般社団法人グランフロント大阪TMO　一般社団法人ナレッジキャピタル
特 別 後 援		大阪府　大阪市｜EXPO2025　大阪市観光局　毎日新聞社
特 別 協 賛		株式会社ユニオン　ダイキン工業株式会社　株式会社シェルター　SANEI株式会社　ケイミュー株式会社
		株式会社オカムラ　株式会社山下PMC
連 携 協 賛		パナソニック株式会社
協　　賛		株式会社丹青社　株式会社乃村工藝社
助　　成		公益財団法人朝日新聞文化財団　独立行政法人日本芸術文化振興会
連 携 協 力		大阪高速電気軌道株式会社　西日本旅客鉄道株式会社　阪急電鉄株式会社
展 示 協 力		株式会社インターオフィス　株式会社カッシーナ・イクスシー　株式会社観察の樹　キヤノン株式会社
		ソフトバンク株式会社　株式会社パシフィックハウステクスタイル　株式会社目黒工芸　USM U.シェアラー・ソンズ 株式会社
協　　力		アジア太平洋トレードセンター株式会社　リビングデザインセンターOZONE
		一般財団法人大阪デザインセンター　公益財団法人大阪産業局
後　　援		一般社団法人日本建築学会　公益社団法人日本建築士会連合会
		一般社団法人日本建築士事務所協会連合会　公益社団法人日本建築家協会　一般社団法人日本建築協会

http://u35.aaf.ac

foreword	東大寺	橋村公英｜旅をする建築	004 - 007
	神宮司庁	音羽悟｜U-35 出展者との会話から得る神宮の神域の植生について考えること	008 - 011
	山下PMC	丸山優子｜E＝mc²	012 - 015
foreword		10会議｜8人の建築家と2人の建築史家による建築展の考察	016 - 033
special interview		藤本壮介｜インタビュア：平沼孝啓	034 - 053
exhibition overview		「既知より、未知。」	054 - 055
profile		出展者情報	056 - 057
exhibit		会場案内	058 - 059
under 35 architects	石田雄琉＋房川修英｜想像の手ざわり		060 - 067
	上田満盛＋大坪良樹｜大阪の街に開かれた建築をつくる		068 - 075
	上野辰太朗｜階段のとなり		076 - 083
	工藤希久枝＋工藤浩平｜浜辺のような建築		084 - 091
	下田直彦｜シロクマハウス		092 - 099
	田代夢々｜人間的な家		100 - 107
	成定由香沙｜引越しと改修		108 - 115
interview		meets U-35｜インタビュア：倉方俊輔	116 - 143
essay		'70 から'25 へ｜次の55 年へ継ぐ記録として	144 - 147
		相互的な補完関係	148 - 151
		軽やかに切り拓く未来を目指して	152 - 155
in addition	ダイキン工業	石井克典｜夢を持ち、失敗のままとせず、成功するまでやり切ること	156 - 157
	大阪市都市整備局	尾植正順｜若手建築家のみなさんへ	158 - 159
	グランフロント大阪TMO	佐野洋志｜うめきたの風景	160 - 161
archive		2024	162 - 167
special interview		永山祐子｜インタビュア：平沼孝啓	168 - 185
afterword		平沼孝啓｜あとがき	186 - 187
acknowledgements		関係者一覧	188 - 189
events		記念シンポジウム&関連イベント概要	190 - 191

foreword｜橋村公英（はしむら こうえい）
旅をする建築

橋村公英（はしむら こうえい・華厳宗管長 東大寺別當）

1956年、奈良県生まれ。1962年、東大寺塔頭正観院に入寺。大阪市立大学文学部史学東洋史卒業、龍谷大学大学院修士課程（東洋史）卒業。1990年より東大寺塔頭正観院住職、2016年より東大寺執事長、2022年より華厳宗管長・第224世東大寺別當。

　僧侶が建築家に関心を持つのは、伽藍や関連施設の建築を通してであることがほとんどだが、僧侶としての"interbeing"と建築家の"interbeing"が、多くの植物の先端が触れ合うような混沌を経て、なんらかの共想を得られるのではないかという期待も、この関心を支えている。昨年も公開プレゼンテーションの場に触れて、心に起こる事を許しながら「私」から降りてゆくと、創造の為に溢れている何かというより、そのために護られたい踊り場が開けていることがある。その確かめ合いに魅かれるのだ。建築そのものを直接評価できない「私」を降りてゆきながら、野の草々が皆言葉するように、起こってくる言葉を待つ外ないのだが。

　東大寺でも開催された建築学生ワークショップ（WS）を通して、主催されるAAFの活動に触れ、その趣旨であるところの世界を想像していたが、後に35歳以下の若手建築家7組による建築の展覧会（U-35）にも臨席したことから思い返すと、これらは必ずしも一筋縄ではない。WSとU-35は、連続的ではあるが違う世界にある。そして本展U-35は、「恥ずかしい勇気と驚き」に触れることを期待する場ではない。このことは大きな損失であると同時にノスタルジックでさえあるが、異なる生態としての建築家の姿があり、棲息の形がある。ひとつの事例として、WSでも、U-35でも、プレゼンテーションでは出展者にインタビューが行われている。海外のドラマや映画を見ていると、警察の取調室の入口には"interview room"というプレートが貼ってある。

WSのインタビューはこの中で行われていることに近いと思う事が多いが、U-35のインタビューは講評者たちの姿勢が異なる。更に講評者の発意が年度を経て続く参加者の臭気を引き出してもいる。それは AAF を率いる平沼孝啓、藤本壮介ら建築家たちの言葉が醸し出す香りの蜜腺の一つであるようにも思える。

　そして出展作品の良し悪しとは別の印象かも知れないが、2024 年は、営みの中で吐かれる蚕の糸のような人の心を、あたかも素材として建築に編み込んでゆくかのような試みに魅かれた。蛾が、卵から幼虫、さなぎ、親蛾、そして死骸に至るまで「蛾」と呼ばれるように、建築もまたそうなのだとしたら、蛾はこの世界のあらゆる命と素材とさえシームレスにいつも繋がっていて、時や空間の森にその「縁起」を結び続けている。あらゆるものは「無」の中から出現する力を与えられていないが、建築もまた、何ものかから姿を変え、創起しては姿を顕し、或いは姿さえ顕さず、また何ものかへと時を旅してゆく。仏教の考察者によりその在り方は「空」と名付けられた。「空」とは過去があることであり、同時に未来を生む胎なのだ。そして、「縁起」は時による帰結を紡ぐだけではない。空間世界の周囲と中心、部分と全体、部分と部分も関係として響き合う命を持つ概念なのだ。

　程度やスタンスはともあれ、建築そのものを愛おしんでいる作品と比較して、建築家とは何を為すべき人なのかということに向き合う作品からは、必然的に建築家の "interbeing" の息遣いが耳に触れる。日々はあたかも同じように繰り返され、しかも様々な要素との出会いに翻弄される。人の心はその「ゆらぎ」を破綻して、笑い、光輝き、わくわくし、燃え殻や灰となり、漂い沈み、食べ物を口に運び、嗚咽し、怨み、怒りもする。そして人の心には、"meditation"（瞑想）という処方箋がある。「無念無想」といわれることもあるがそれは言葉の表現であり、そのために私たちは、定木（じょうぎ）が欲しい。鼻の奥や喉に触れる息、呼吸に伴う腹の膨らみや凹み、一歩一歩歩く足の動き、ゆっくり上げ下げする腕、一枚づつ洗う百枚の皿、紙を組んで何百人かの資料を作成する一連の手の動き、前を行く自動車のブレーキランプ、スマホの呼び出し音……。草々のつぶやきにさまよったあげく、定木を辿ったり離れたりまた戻ったりする習いの中で、心の道と森が姿を現してくる。建築も瞑想のプロセスと世界を共有している面があるかに見える。

自らや他者の自我が求めている未来を姿にするのも建築家なら、霧の中にある未来に目を凝らし、建築家に課されるであろう必要性を、限りない赦しの中で実現しようとする営みもまた、建築家の必然であろう。時間や空間や人の環境設計までも自らの構想の中に含めて関与してゆくのか、時間や空間や人の変化をどこまでも赦し尽くすような関与者となるのか？ゴールドメダルを与えられた最優秀作は、その両方に通底して創作されてくるものへの希望とリスクが、信頼という主題の中で魅力的だったのかもしれない。

　「命の電話」という活動があるが、それは、電話口の向こうから話しかけてくる死のうという人に、何かを説いて死ぬのを止めさせることが仕事なのではない。その人の話をひたすら傾聴することがその核心なのだ。その繰り返しと積み重ねの中で、電話をかけてきた人が何かを見出し、電話をかけて来なくなったら、一つのプロセスを終えることになる。その人はそのプロセスを経て社会に何らかの関与をし、社会もまたそのことに何かの反応をもたらす。建築家は傾聴者であり同時に社会力でもあるのだろうか。

　ある朝突然に机の上に私のリンゴがある。しかし先に述べたように、リンゴには無の中からこの机の上に出現する力がない。私が箱から出して机の上に置いたリンゴは宅配で産地から届けられた。その前には果樹園で多くの人々の手により収穫された。農園に植えられた母なるリンゴの木は太陽や風や雨や月や大地の力を与えられて育った。そしてその遺伝子は地球生命発生の過去から離合集散しながらもたらされたものだ。しかもこのリンゴの未来もまた果てしなく、宇宙の存在の果ての時間まで姿を変えて受け継がれてゆく。そのどこまでを私のリンゴというのだろう。線形とカオスが響き合う時空の領域を見渡すところから、建築家の営みが始まるかに見えることがある。ひとつの眼前の花を見ればその花は一つの花として美しく、花の群れを見ればその花の群れは景色として美しく、しかも過去や未来の時空に波紋を広げてゆく。旅をする建築は、時空の結び目の様に人を繋ぐ可能性に満ちている。

　このように、建築の実態そのものではなく経緯が作品となるのは、絵画でいえばモネのように印象派的でもある。何処かに実態の線や面が直接の具体としてあるわけではない。リアルや写実の眼の中には、ある意味、色のシミでしかない。しかし同時にその眼が見るものは全体ではない。

全体の風景が見える人と、色のシミだという人がいてはじめて、多様性はリスクを抱えながらも円かに融けあう踊り場を持つ。

　今年は大阪・関西万博の開催当年だ。'70 に開催された大阪万博は、終戦 25 周年を記念として戦後復興を成し遂げたとされる日本の姿を国内外に示す巨大国家プロジェクトでもあった。そのテーマは「人類の進歩と調和」。さらに、サブテーマは、「より豊かな生命の充実を」「よりみのり多い自然の利用を」「より好ましい生活の設計を」「より深い相互の理解を」と続く。「いのち」は既にアベレージにあり、さらに向上を求めていた。しかし 55 年を経て振り返れば、戦後という在り方も人類の進歩も単純ではなかったことを教えられた。そして '25 万博の第一のインパクトは建築だと思う。その大阪・関西万博のテーマは「いのち輝く未来社会のデザイン」、更にサブテーマとして「いのちを救う」「いのちに力を与える」「いのちをつなぐ」の 3 つが掲げられてきた。これらは、不殺生戒の大乗的慈悲実践理解と似ていて私たち僧侶には興味深い。命を奪わないと言い切る困難さの荒野を行く、「慈」と「悲」の乗物のようにも見える。そのありようは、「いのち」の入れ物である身体にも、身体が棲息する建築にも浸潤してゆくであろう。"Indara Net" の如く、世界は無限の鏡像の中にその生態を写しながら変幻してゆく。ひとりの建築家の内部も、感じ得るものも拒否されたものも喪失したものをも含め、あらゆる世界のふく射を内蔵しながら創られてゆくのだろう。そのせめぎ合いの中から開かれる未知の不安や輝きが建築として姿を顕すなら、それを見ないわけにはゆかない。

foreword | 音羽悟（おとわ さとる）

U-35 出展者との会話から得る神宮の神域の植生について考えること

音羽悟（おとわ さとる・神宮参事／神宮司庁 広報室次長）

1966年滋賀県生まれ、92年皇學館大学大学院博士前期課程国史学専攻修了後、神宮出仕。2023年より広報室次長。現在は神宮研修所教員・教学課主任研究員兼任。皇學館大学神職養成室明階総合課程講師も務める。主な著書に、『悠久の森　神宮の祭祀と歴史』（弘文堂）、『伊勢神宮　解説編』（新潮社）がある。

　古代の行政法・民法であった養老令の官撰注釈書『令義解』の祈年祭の説明に「時令順度」という言葉が使われている。年号が「令和」と発表されたとき、私は真っ先にこの「時令順度」を想起し「令和」とは何と素晴らしい年号なんだろうと歓喜した程だ。それは年々歳々、季節は巡り、循環し原点回帰する。元旦、お彼岸、お盆、何れも秩序正しく年中儀礼は巡り来る。そんな恒例の行事や儀礼を毎年取り行いながら、神宮の神事も繰り返し斎行されていくのだから。思い起こせば昭和61年4月、やがて20歳を迎えるこの年の春、郷里の滋賀を離れ、神都と称される伊勢のまちで生活することとなった。京都の大学で建築学を専攻することを夢見ていた私は、受験に失敗。今や泉下の人となった父との約束で皇學館大学神道学科に入学した。数年前の本誌の序文でも示したので、大学入学から今日に至る経緯、さらにファウンダーとして本展のオーガナイザーを務める建築家平沼孝啓氏との出会いについては割愛するが、人生の大半を日本でも指折りの観光地・神都で過ごすこととなり、職業柄、本展も通じても随分と大勢の方との知己を得たのはご神慮の賜物と謝辞を述べる。

　常日頃の奉務に大わらわになり、恒例の祭事もこなしつつ、気がつけば神宮に奉職して33年という彪大な月日が経つ。ときどき平成4年4月に出仕を拝命した時のことを思い出すが、振り返れば、あっという間の歳月を費やし、無我夢中で神明奉仕に精励してきた。一等職の参事

に任命されてからはさらに交友の幅が広がり、域内の案内や取材対応、番組の出演なども重なり、なかなか自身の時間を見繕うことが難しくなってきた。しかしこのような状況下にあっても、毎年楽しみにしている行事がある。それは本展を主催で率い、大学生院生主体で運営を進めるノンプロフィットのAAFが開催する、夏の建築学生ワークショップと、秋のU-35記念シンポジウムである。まずは令和6年度の建築学生ワークショップは京都・醍醐寺で開催されたが、公開プレゼンテーションの9月15日はどうしても外せない業務と重なったため、前日14日、現地を訪ねた。JR山科駅で偶然にも平沼さんと再会し道中に当年の特徴と経過を聞きながら境内地に着くと、これまで古くからの知り合いの腰原幹雄さん、佐藤淳さん、安井昇さんたちと合流し、最後の仕上げに追われていた学生たちの作品を境内で見て回り、皆さんに充分なご挨拶もできないまま、慌ただしく後ろ髪を引かれる思いで京都を後にしたのだが、9月中旬とはいえ、蒸し暑く容赦ない日射しを受けながら、作品の完成を目指す学生のひたむきさに今年も心打たれるものがあった。そして昨年のU-35記念シンポジウムⅡは10月26日(土)。本展の会場となる大阪駅前のうめきたシップを午後2時前に訪ねた。既に会場は大勢の人で賑わっていた。程なく伊東豊雄さんと面会し、今年も当該年の審査で選定された出展者7組個々の展示解説に聞き入り、会場において模型を悉に観察した。年々レベルが向上しているような気になるのは、決して僻見ではあるまい。私は建築の専門家ではないが、神宮の造営機関の変遷を研究する端くれとして、神社仏閣の建物の仕様と切組に相当な関心を示しており、地域の環境や気候風土、立地条件に照らした今回の出展作品の設計や構造にも当然興味を注がれた。7組全ての出展者と会話できた訳ではないので、皆さんの作品に対する講評が不十分であることを先ずもってお詫び申し上げるが、私がお話を伺うことができた次の方たちの作品について管見を申し述べたい。そして、これら本展の展示説明を伺うたびに、若い建築家たちへ向けて神宮の神域の植生について伝え、考えてみてほしいと願う。

まずは巡回路 1 組目の加藤麻帆さんと物井由香さんは、中々野というまちを舞台に、日常に溢れる様々なもの、空間、活動を設計していくプロジェクトを取り上げていた。山手通り沿いにはビルが立ち並び、その内側には能楽堂や神社があるのだが、古民家をどのように再生していくのか、自身が運営を行いながら設計を繰り返すということを聞き、実践型の設計者なのだと感心した。山田貴仁さんと犬童伸浩さんのベトナムでの活動に多様化する国際的な社会への即応を実感した。気候風土に照らし、低コストで建築する姿勢に未来の建築のあり方を垣間見た気がする。守谷僚泰さんと池田美月さんの長岡市に計画中の集合住宅で、4 つの独立した住宅と中庭やテラス、庇のある立体的な外部空間に雪の多い土地柄と相俟った実用性があると痛感した。一昨年、Gold Medal に輝かれた Aleksandra kovaleva さんと佐藤敬さんの「ものさし と まなざし」の取り組みは流石だった。何と言っても KASA のお二人の取り組みで関心を示すのは空間の魅力である。そこに何故か自然公園法で守られた伊勢神宮の神域に立つ建物と被らせるものがある。佐藤さんに「神宮の殿舎は、高さ 13 メートルを超えるものは一つも無く、森に隠れているが、近くに行くと荘厳さに圧倒される造りになっています」と申し上げたところ、佐藤さんは「内宮正宮の石段を上って行った先のお参りをする外玉垣南御門に御幌が掛かっていて、風に幕が上がるとき、その先に微かに見える殿舎と広がる空間に畏敬の念を抱きつつ神様の立派な御殿があるのだと、深い想像力を育むことができます」と仰った。よく神宮の特性を理解されているし、自然との共生の仕方を知り尽くしているからこそ人に感動を与える建築が出来るのだろうと直感した。小田切駿さん・瀬尾憲司さん・渡辺瑞帆さんの 3 人が組織されるガラージュの喜界島での「100 年かけて劇場をつくるプロジェクト」のお話をそれぞれから聞いたときは、胸が躍った。地元民と全国から公募した学生の協力で隆起サンゴ礁を用いた建設に将来の夢を見た。「ボランティアで誰もが体験できるような劇場造りに心掛けて下さい」とエールを送った。

　神宮の神域の森は何かと問うと、まず誰もが一番に連想するのは樹木、杉か檜ではないだろうか。確かに内宮参道は、杉が卓越する杜と言っても過言ではない。参拝者は先入観も働いて、杉の大木を目にしがちであるが、実は杉や檜に隠れて楠の老樹名木が神域内の環境に重要な役目を果たしていることは殆ど知られていない事実だろう。杉・赤松及び黒松・樅・楠の四種類の老樹の年齢をまとめる中で、胸高直径 6 尺以上の杉が、外宮神域に 22 本、内宮神域にはその倍の 44 本あ

るのに対し、同 5 尺以上の楠は、内宮神域ではわずか 3 本なのに外宮神域では実に 50 余本もあり、その一方で、同 3 尺以上の赤松及び黒松は外宮神域で 9 本、内宮神域で 11 本、同 3 尺以上の樅は外宮神域で 2 本、内宮神域で 10 本にとどまっている。外宮神域でも内宮神域でも、共通するのは杉と楠が最も主要な老樹をなしていることであり、相違点は、内宮神域にあっては杉が大半を占めるのに対し、外宮神域にあっては楠が圧倒的である、ということである。

　神楽殿、五丈殿、御酒殿、由貴御倉神、忌火屋殿等参道の重要な建物の近くに 4 本もの楠の老木が集中している。しかもこれら建物の立地に共通しているのは、全て道と道が交差する辻に立てられている点である。参道沿いのそれら建物は、忌火屋殿すなわち大御饌祭の神饌を用意するために火を起こす建物の場所から近い。実は外宮の杜についても、火災から正宮を護るという意図を反映して、楠が内宮以上に集中している。また道が交わる辻に建物が立つのは、いざ火災が発生した際、脱出ルートが多い方が人命も守りやすいうえに、大切な物資も運び出すことが可能となる。

　江戸時代は御師邸の館が神域内に、しかも今日の神苑に、宇治橋東詰を過ぎた辺りから今の内宮神楽殿の周辺まで参道を挟んだ東西に軒を連ねるように建ち並び、だから民家から発生した火災が類焼して神域内の建物を焼き尽くした。江戸時代には万治元年（1658）12 月と文政 13 年（1830）閏 3 月に起こった民家からの出火が大層な被害をもたらしたが、その経験値に基づいてか、古来神宮の神域内には様々な対策が講じられている。神域内の木々は大半が天然林であるが、建物の周囲にある楠は、歴史地理学を専門とされる京都大学名誉教授金坂清則氏によると、古い時代に植樹された人工林だという。楠は葉にも水分を多く含み火災に強く防火の役目を果たすと聞く。勘の良い方なら、歴史的由緒深い神社の境内に楠が多いことを連想されるだろう。境内の森を少しでも防火に役立てる、楠の植林は先人の知恵だろう。自然相手に共生という観点から建築の設計をされる若い建築家たちの参考となれば幸甚である。

foreword｜丸山優子（まるやま ゆうこ）
E＝mc²

丸山優子（まるやま ゆうこ・株式会社山下PMC 代表取締役社長・社長執行役員）

大手建設会社設計部、不動産デベロッパー勤務を経て、2009 年株式会社山下ピー・エム・コンサルタンツ（現山下 PMC）に入社。ホテルや医療、MICE 施設等の建築において、マーケティング調査、事業性検討、コンセプト立案等、事業の川上から提案を行い、プロジェクトを牽引。また、グローバル事業担当部門の立ち上げも行った。2012 年執行役員 事業創造本部長、2018 年取締役 常務執行役員を経て、2022 年代表取締役社長 社長執行役員就任。

　「建築」という言葉には、いくつかの意味（使われ方）がある。建築物そのものを表すことが最もポピュラーなのであろうが、その建築物の思想を表すこともあるし、設備やインテリアなどと区別した専門所掌的な意味もあれば、企画・設計から施工に至る建設行為全般を指すことも、それらに関する仕事であることすらある。建築家史家の藤森照信に言わせれば、建物としての実用性だけではなく、ある一定の条件を満たした建物でなければ「建築」とは呼んではいけないらしい。その条件は「美しいこと」であると。

　辞書には（おそらく）書かれていないであろう意味を書きだすだけでも、「建築」とは、なんとミステリアスで奥が深く、その言葉に寄せる人の気持ちの多様なことか。40 年近く「建築」と呼ばれる世界に身を置きながら、ちっとも「建築とは何なのか」の答えに行きつく気すらしない…。と言うか、だいたい答えなんてそんなものあるのか？ そんなだから、毎年 10 月に大阪に赴き、若い建築家の活動に触れることが恒例となったここ 5 年は、U-35 が「建築とは何なのか」、「建築家とは何なのか」を一年に一度自らに問いかけるスイッチになっている。そしてその後、必ず色々な本を読み返したり、昔の教科書までひっくり返してみたりするのがお約束だ。

　ブルーノ・タウトは「釣り合いの芸術である」と言う。「われわれは完全な釣合いを、妬み心

を去り、大らかな気持ちで享受すべきである」と。ニュアンスはわかるけどさ。「釣り合い」って何と何の釣り合いなのよ。それが知りたくて何度も読みかえすのに答えは書いてない。自分で考えろってことか。昨年惜しまれながら鬼籍に入られた槇文彦は「建築は、人間と同様、遅かれ早かれ滅びるものですが、残された思考の形式は滅びません。」と書かれた。うん、そうだよね。小林カツ代さんの「私は死んでもレシピは残る」と通ずるものがあるな。なんて独り言ちながら更に思考をめぐらす。じゃあ、滅びる思考の形式と滅びない思考の形式の違いって何なんだ？

40年近い建築屋（家ではない）人生の中で、一つだけ行きついている答えというか信念のようなものがある。建築はヒトのためにある、ということ。決してヒトが建築のためにあってはならず、建築がヒトのためになくてはならないということ。当たり前のようだけど、当たり前でない建築の何と多いことか。ヒトの暮らし、ヒトビトの営み、それらを支え、時にはそれらに新たなコトを与え、幸福で上質な、そして豊かなトキを与えるモノであること。建築の美しさは、そこに何もない状態がベストなのではなく、ヒトが居て、光が灯り、匂いや音、生活の息吹のようなものが加わってより一層輝くものでなくてはならない、ということ。かのハンス・J・ウェグナーをして「椅子は、そこに人が座ったときに初めて完成する。」と語っている。不朽の名作Yチェアのデザイナーが放つその言葉の強さ・深さは時にキラキラしたものへと目が移りそうになる自分への戒めとなる。建築とて全く同じなのだと。その信念の下に考えれば、「滅びない思考」とは、ヒトビトと時間を共有し、そのヒトビトにとってなくてはならないタイムレスな価値であるとして評価された建築、それを創り上げた思考ということなのではないか。では、その思考は誰が創り上げるのか？建築家？もちろんそうだろう。建築家が思考し解を示さなければ何も始まらない。でもそれは建築家だけ？？うーん、そうでもないね、

私は、フランク・O・ゲーリーの「建築は集団の技だ」という言葉に非常に共感している。それだから建築は辞められない。建築ほど完成までに多くの人が関わるプロダクトは他にない。「これは私が創った」「これは俺が造った」と家族や恋人、友人たちに誇らしく胸を張ることができる人の数は、大きなものになれば何千人にものぼる。建築家がいなければ何も始まらないけれど、建築家だけでは絶対に完成しない。様々なバックグラウンドを持つ専門家が集まり、互いをリスペクトし、協創するからこそ新しいコトやモノが生まれる。議論し、知恵を出し合い、時には喧嘩もしながら課題をともに乗り越えるからこそ良質な建築はこの世に姿を現す。そしてその建物を、その思考を真に理解したクライアント又はそれ以外の誰かが使い、場合によっては新たな解釈を加えながら育て上げることで本当の意味で建築は完成する。建築家の意図を理解することは絶対的な必要条件だけれど、十分条件ではない。建築家のエゴだけでは「滅びない思考」には決して至らない。

　ここまで書いてきて、毎年ぐるぐるルーティンしていることを言語化できたからなのか、少し頭が整理できたような気がしてきた。

　建築とは、空間とそこで費やされる時間の総称なのではないか。費やされる時間とは、その空間が完成した後に費やされる時間と、その空間を完成させるために費やされた時間の双方があって、完成させるために費やされた時間が完成後の時間に染み渡るように流れ、かみ合い、時には行き来をしながらシンクロして初めて滅びない思考へと昇華するのではなかろうか。"建築空間"を一応、ググってみた。哲学的には「時間とともに物質界を成立させる存在形式」なのだそうだ。空間は単に物理的なものではなく時間が伴うもので、空間は三次元ではなく時間軸が足された四次元である、と。なんだか、哲学でありながらとても建築っぽい。更に、アインシュタインの相対性理論そのものではないか。（なんだかすごいぞ、哲学！）相対性理論において空間と時間は一体不可分なものであり、時空という概念に置き換えられている。そしてその時空は、物質のエネルギーにより伸びたり縮んだり、ゆがんだりする。物質のエネルギーは世界一有名な方程式 $E=mc^2$ で表される通り、物質の質量（m）によって決まる。それであれば、この質量（m）こそが、建築家の思考であり、意図だと読み取れるのではなかろうか。そして、一つの要素である光速（c）がともに建築を創り上げるチーム（ここには完成後にその建築を

育て上げるクライアントも含む）の力であり、それが 2 乗となって掛け合わさることにより物質のエネルギーとなって、建築（＝時空）に影響を与えると考えれば腑に落ちる。建築家の思考（＝質量・m）、チームの力（＝光速・c）それぞれの力を掛け合わせて最大限にする力（＝×）こそが、私たちプロジェクトマネジャーの仕事なのであろう。方程式の記載には省略される「×」という記号は、表記されなくともエネルギーを決める要件であることは間違いない。＋でも－でも÷もない。× という力を持つことがプロジェクトマネジャーの必須条件だ。だからこそ、私はプロジェクトマネジャーという生業に誇りを持っている。クライアントの意思を建築家とともに一番近くで共有し、建築家の思考を誰よりも理解し、滅びない思考を共に創り上げる（光速は一定であることを一旦棚にあげて）より大きな力を持つ仲間を募ってチームビルドするプロジェクトマネジャーという仕事もまた「建築」そのものであると信じている。

　2025 年も U-35 が大阪にやってくる。35 歳という年齢を超えて四半世紀が経つ私にとっては、初々しく希望に溢れキラキラとした彼ら彼女らと触れ合うことは、ともすれば老化に走る全細胞へのアンチエイジング的刺激になってくれると今年も期待が膨らむ。2010 年から欠かすことなく毎年開催を継ぐＡＡＦ、そして議論を交わそうとする上世代の建築家・史家の皆さまに心からの敬意を表したい。

　若き建築家たちへ
　自ら考え、悩み、苦しみ、自ら解を出すことを恐るるなかれ。共に創り上げる仲間たちと議論し、知恵を出し合い、時に自らの思考を変革させることを躊躇うなかれ。クライアントの意思も、共に創り上げる仲間の立場もリスペクトすることで、自らの思考が滅びるなどと誤解するなかれ。建築は個人競技の結果ではなく、建築家だけで評価するべきものでもなく、社会に評価されて初めて滅びない思考へと昇華できることを、「そんなの当たり前でしょ」と今思ったその気持ちを忘るるなかれ。そして世界へと羽ばたいてほしい。

10会議｜8人の建築家と2人の建築史家による建築展の考察
芦澤竜一、五十嵐淳、永山祐子、平田晃久、平沼孝啓、藤本壮介、吉村靖孝、五十嵐太郎、倉方俊輔

10 process in architecture exhibition

—— これまでの展覧会を振り返りながら、公募で募られた出展者の一世代上の建築家と建築史家により、U-35（以下、本展）を通じたこれからの建築展のあり方と、U-35の存在を考察する。

「10会議」の発足

　15年前、U-30として開催を始めた本展は、世界の第一線で活躍する巨匠建築家と、出展者の一世代上の建築家が議論を交わし、あらたな建築の価値を批評し共有するために召集された。巨匠建築家には伊東豊雄。そして一世代上の建築家として全国の地方区分で影響力を持ちはじめ、新たな活動を始めていた建築家・史家である、北海道の五十嵐淳をはじめ、東北の五十嵐太郎、関東の藤本壮介、関西の平沼孝啓、そして中国地方の三分一博志や、九州地方の塩塚隆生など、中部と四国を除いた、日本の6地域から集まった。そして開催初年度に登壇した、三分一、塩塚など1960年代生まれの建築家から、開催を重ねるごとに1970年代生まれの建築家・史家が中心となる。3年後の2012年には、8人の建築家（五十嵐淳、石上純也、谷尻誠、平田晃久、平沼孝啓、藤本壮介、2013年より、芦澤竜一、吉村靖孝、2021年より、永山祐子）と2人の建築史家（五十嵐太郎、倉方俊輔）によるメンバーでの開催を重ねてきた。そもそもこの展覧会を起案した平沼が「一世代上」と称した意図は、出展の約10年後に過去の出展者の年齢が一世代上がり、世代下である出展者の新時代を考察するような仕組みとなるよう当初に試みたのだが、10名が集まった4年目の開催の時期に、藤本の「この建築展は、我らの世代で見守り続け、我らの世代で建築のあり方を変える」という発言から、本展を見守るメンバーが位置づけられていった。そして同時期に、五十嵐太郎の発案で「建築家の登竜門となるような公募型の展覧会」を目指すようになる。

　ここで振り返ると、開催初年度に出展した若手建築家と出会ったのは開催前年度の2009年。長きにわたり大学で教鞭を執る建築家たちによる候補者の情報を得て、独立を果たしたばかりであった全国の若手建築家のアトリエ、もしくは自宅に出向き、27組の中から大西麻貴や増田大坪、米澤隆等、代表する出展者7組を選出した。その翌年の選出はこの前年の出展者の約半数を指名で残し、自薦による公募を開始しつつ、他薦による出展候補者の選考も併用する。はじめて開始した公募による選考は、応募少数であったことから、オーガナイザーを務める平沼が担当し、書類審査による一次選考と、面接による二次選考での二段階審査方式で行った。また海外からの応募もあったことから2011年の出展を果たしたデンマーク在住の応募者、加藤＋ヴィクトリアの面接は、平沼の欧州出張中にフィンランドで実施された。また他薦での出展者は、塚本由晴による推薦を得て出展した金野千恵や、西沢大良による海法圭等がいる。つまり1年目は完全指名、2年目の2011年からは、前年度出展者からの指名と公募による自薦、プロフェッサー・アーキテクトによる他薦を併用していた。そして、現在の完全公募によるプログラムを実施したのは、開催5年目の2014年、初代・審査委員長を務めた石上が、自らの年齢に近づけ対等な議論が交わせるようにと、展覧会の主題で

あった U-30 を、U-35 として出展者の年齢を 5 歳上げた時期であり、それから今年の開催で 10 年が経つ。また、この主題の変更に合わせてもう一つ議論されていたアワードの設定（GOLD MEDAL）は、完全公募による選考となり出展者の年齢が 35 歳以下とした翌年の開催である 2015 年。公募開催第 2 回目の審査委員長を務めた藤本が、はじめてのゴールドメダル授与設定に対し、「受賞該当者なし」と評した。しかしこのことで大きく景気づけられ、翌年には伊東豊雄自らが選出することによる「伊東賞」を、隔年で設定するアワードとして追加し、それぞれの副賞として翌年の出展シード権が与えられるようになる。振り返れば、タイトルを変えてしまうほどの応募年齢の変更を含め、プログラムが徐々にコンポジットし変化し続けていくのが、本展のあり方のようだ。2019 年には 10 年目の開催を終え、基盤を醸成しつつあった本展が、あらたな 10 年を目指そうとした 2020 年、コロナ禍という大きな試練を迎えたが、その後 22 年までの開催危機を乗り越え、昨年ようやく通常開催が可能となり、本展は今年で 15 度目を迎えた。

　2021 年より永山祐子を加えた、出展者の一世代上の建築家・史家 10 名が一同に揃うシンポジウム後に場を設け、来年、開催 16 年目を迎える今後の U-35 のプログラムから存在のあり方を議論すると共に、ファインアートの美術展のように展覧会自体が発表の主体とならない、発展途上の分野である建築展のあり方を模索する会議を「10 会議」と名づけ、2017 年より第 1 回目の開催をはじめ、本年、第 8 回目の「10 会議」を開催した。

────── 皆様4時間にわたる取り組み、おつかれさまでございます。例年通り、ゴールドメダル授与後、「祝杯のビール」をガマンしていただきまして、これから 60 分間。この開催が継続するエンジンのような恒例の「10 会議」をはじめさせていただきます。この会議は、出展者の一世代上の建築家・史家たちが時代と共に位置づけてきたメンバー 10 名が一同に揃うシンポジウム開催後に場を設け、次の 10 年後のプログラムを議論すると共に、ファインアートの美術展のように展覧会自体が発表の主体とならない、発展途上の分野である建築展のあり方を模索する会議を「10 会議」と名づけて毎年開催しております。一周して昨年、二度目の審査委員長を務められた平沼先生、本年、審査委員長を務められた永山先生、そして来年の審査委員長を務めていただくことになった藤本先生を中心に、第 8 回目の「10 会議」を開催いたします。開催当初より本展のファウンダーとしてオーガナイザーを務めてくださる平沼先生、本日も進行と補足応答をどうぞよろしくお願いいたします。

（一同）どうぞよろしくお願いいたします！

────── 15 年目の U-35 2024 記念シンポジウムをただ今、終了させていただきました。まずは出展者の選出から大変悩まれ、先ほど GOLD MEDAL を授与いただきました永山先生より、今年の出展者を振り返り、選出時からゴールドメダルの選考に至った思考の経過と印象をお聞かせください。

永山：ありがとうございます。まずゴールドメダルに選出したガラージュの提案は、応募の時点から一番、力強かった。もちろん昨年の展示もそうですが、彼らは本当に三者三様に役割をうまく果たしていて、多角的に建築を展開できる力を持っている印象です。地域で提案する時には、そのコンセプトをどれだけ持続できるのかが重要ですが、そんな中でも今回、百年という時間軸を打ち立ててきていて、また凄いことを言うなと思いました（笑）。

一同：（拍手）

永山：いずれにしてもチャレンジングですよね。先ほどのシンポジウム中の全ての受け答えの中で「建築を信じている」のだということをすごく感じました。建築を使って高みを目指すという意志を感じとれただけではなく、ストレートに、真摯な姿勢がやっていることに表れているというところが圧倒的でした。最後に一番私が伝えたかった信仰心という話ですが、現代における信仰とは恐らく永遠のテーマであり、それを建築で探そうとしている。彼らから未来を感じました。

―――― ありがとうございます。そして来年、2025年の審査委員長を務めていただく藤本先生から、本日のご感想と来年の応募者に向けてのメッセージをお聞かせください。

藤本：まず本年、永山さんが選出された出展者はとても素晴らしかったですね。永山さん、本当にありがとうございます。昨年からの傾向はありながらも、様々に建築というのは何か、という問いをポジティブな意味で探し求めていて、揺さぶられるのです。そんな意味でも今日はすごく面白かったですし、永山さんや五十嵐淳さんも仰っていたように、今社会が信じられるものは、資本主義経済であったり、環境やサステナビリティなど、それらであるかのように言われています。それらも大切なことではありますが、それだけではないというところを、自分たちで探し求めようとする姿勢がとてもかっこいいと思いました。皆探しているのだけれど、その中でもガラージュは一番力強く探し求めようとしていて、実際に行動に移しているというところが本当に素晴らしかったです。僕らも頑張らないといけないなという気持ちになれましたし、励まされたと言うか、刺激を受けました。建築にはそれだけの力があるのだということについて、既に確立された建築を批評するだけでなく、何か探し求めていこうよという力強いメッセージにもなったと思います。だから来年の応募者にはさらにその上を行くものを求めたい（笑）。継続した開催をここにいるこのファウンダーが毎年継ぎ見守っているのですから、出展を目指す方々も決して一過性のイベントとして考えるのではなく、培われた15年間の積み上げの先に繋がる提案を示してもらいたいのです。こちら側から投げかけたメッセージに対する更なるリアクションで、僕らをもっと驚かせてくれたり、あらたな価値に気づかせてくれるような自身の活動を通じた提案で応募してきてくれると嬉しいです。そういう議論が年々継続していくのが楽しみですし、今年の出展者は知らない方が大半だったのですが、これほどに素晴らしい才能が眠っていたのかという、大きな期待が持てましたので、来年もそのような才能をしっかり救い上げていけるようにしっかり選出したいと思います。

―――― 今、想い返しますと、吉村先生（2021年）、芦澤先生（2022年）、そして昨年の平沼先生（2023年）。この3年間の審査を務められた先生方に、出展者説明会後の展示エスキースを行っていただくという修正案を加えていただいたことから、一段と展示内容に良い変化が表れました。

藤本：本当にそうでしたよね。エスキースをしてから、以降の展示効果は大きかったですね。

平沼：二巡目になっていますので次に10年ぶりの審査委員長を務めていただくのは、五十嵐淳さん。26年に向け、来年から藤本さんと一緒にエスキースを見ていただいて、今年の永山ディレ

クションを継ぐ展覧会へと導いてあげてください。

五十嵐淳：おぉ〜、来春？もちろんやりましょう！

吉村：今年の出展者は本当に凄いなぁと思いました。OBJECTAL は毛色が違った印象でしたが、あぁいったものは AI がないとできないですよね。だからこそ言葉で書いて、それを画像にしてみる、そして立体におこして 3D プリンターと施工を組み合わせる。何か凄い現象が起こりそうだな、と思って見ました。来年はこういう毛色の違う人たちにも、オリジナリティをもつ空気感を保ってほしい。

藤本：来年、セレクションする僕へのプレッシャーが高まりますね（笑）。

一同：（爆笑）

藤本：でも今年、平沼さん推薦の OBJECTAL を永山さんがよく選ばれたなぁと、感心してみていました。

永山：そうですね。"多様な若手を選出する" という審査基準を設け、これまでの建築手法の継続性や社会的にコミットするばかりではなく、違った出発点の思想を持つ人たちがいた方が、多角的な議論が起こるのではないかと期待をしたのです。

藤本：まさに彼らがいたからこそ、今日は本当に良い議論になったと思います。

永山：OBJECTAL は個々に信じているものがあって議論中の受け答えが素晴らしいし、本気で建築を信じているんだ！という情熱が伝わりましたね。

平沼：池田さんの応答に、僕たちだけでなく聴講者の方々も良い意味で驚きましたよね（笑）。

藤本：（笑）目が本気でしたからね！倉方さんが、毛色が違うとはいえ繋がっているというコメントをされたのもすごく良かったですし、単に何かが違う人、ということではない部分が露呈されたようでよかったです。

芦澤：今年の選出者には良い意味のバラつきがあって、同じような方向性でなかったことがとても良かったのですが、それは本当に永山さんのセンスですよね。

永山：そうですか？でもお正月明けの選出の時に、平沼さんに本当にいろいろと助けていただきました！（笑）

芦澤：（笑）審査委員長の年のエスキースでは、僕もわりと積極的にやってみたのだけれど、思い返すと結果的にもう少し辛口にやっても良かったのかなと思うのです。エスキースの段階で審査委員長だけではなくて、何人かで徹底的に揺さぶってみるとか（笑）。

一同：（笑）

永山：どこまでやっていいのかなというところもありますよね、さじ加減が難しい。

藤本：そうですね。僕は期待を込めて、KASA にはもう少し頑張って欲しかったなと思います。3年目の出展で周辺の物事に目を配った結果、方向性に何か迷いが生じたのか、もしくは慣れあい感がありました。

平沼：一昨年・伊東賞のクオリティの高い模型「ロシア館」、昨年・ゴールドメダル賞の原寸展示「ふるさとの家」を見ていましたから、さらに"これぞ我らの建築展！"という、まっすぐで圧倒的

な展示で新たな価値を示してくれるのではないかと、期待を寄せていたのですが。

芦澤：僕は個人的に石村さんがとても良いなと思いました。

平沼：吉村さんが質問したときに、石村さんが切実に答えていたのが、とても好印象でしたね。

藤本：しかし、石村根市も少しスパイ感があるよね。

永山：スパイ感ありました！（笑）結構スパイが潜んでいて、これが世に放たれると面白いなと思う。昔、私たちも自分の居場所を自分で見つけてこないといけない、とそんな感じでやっていたのかなって、想い返しました（笑）。

一同：（苦笑）

吉村：物質やマテリアルが循環する、ストックのようでもありフローのような取り組みは、今後一般化が加速するリサイクルやリユースの現象。それを建築で提示するということは、面白い視点だと感じました。一方で、マテリアルの循環を活用している建築は凄くディティールを考えられていて、それ自体が美しい。ただ、その美しさに対して、総体として話していることがどこまで関係しているのかが僕にはイマイチわからなかった。現在地として、どのようなことが起こっていて、そ

れを"建築する"ということはどういうことなのかという、竣工後使われはじめた中間報告のところまで踏み込んだ総体があればよかったのだけれど、僕たちがそこに対して質問する機会がなかったのは少し失敗したなぁ。

一同：うんうん。

吉村：現時点では、流通するマテリアルがどのように建築として顕在化しているのかを考えると、たまたまそこに置かれているに過ぎないし、途中経過の1つでしかない。それらが出会った状態が建築として浮かび上がっているという表現であり、その後もいろいろなものの関わりによって徐々に変化していくということ、人間の体も元素が入れ替わっているわけですから、そういうところに通じるような話もできただろうし、その流通先までリサーチがあったのかもしれませんが、もう少しそのようなことまで問題意識の中に入れて、図式化しようとされていれば好印象でしたね。

倉方：北千住という場所性だからこそ、あのような関係性を生み出せるんだと見せるには、もう一歩踏み込んで、その意識をもっと共有させてほしいです。

吉村：彼らが他の場所を選んでいた場合は、どうなるのかわからないですよね。

永山：中中野もそうですよね、その場所で活動している。

倉方：それらがスパイ活動ですよね、いわゆる潜入捜査。場所に染まってみるというか（笑）。

藤本：皆、勇気がありますよね。よそ者がそこに根差すことには少し、怖さがあるではないですか。

永山：そうですよね、徹底的にそこに潜んでやり続けるには忍耐力が必要です。しかしスパイ活動の先に、新たな建築の可能性があるのかなと思いました。

倉方：それを中野からホーチミンまでやっているのが今回の出展者世代ですよね。「都会だから」「喜界島だから」と対立させてしまうことなく、ある種潜入、スパイのようにリサーチ活動をしているのですよね。

――― 五十嵐太郎先生、淳先生、本年の開催はいかがでしたでしょうか。

五十嵐太郎："今、建築の可能性をあらためて議論する" とても良い機会になったと思いますが、欲を言えば、もう少し議論の時間があったら良かったように思います。展示は相当洗練されていて、中中野プロジェクトでプリンの図面があったことには驚きました。初めて見ましたから（笑）。それから KASA はドローイングの世界観が素晴らしいのですが、今回あまりなかったのがもったいない。井上岳さんは、展示デザインの知見を持ち、アーティストともコラボレーションしているのですが、ホワイトハウスのプロジェクトを伝えるのは難しそうでした。

五十嵐淳：そうですね。しかし今年は本当に面白い回であったと思いました。昔は大体、イライラして見ていたけれど（笑）、とても面白かったです。

平田：今回の議論の中で、石村根市があまり質問を受けていなかったことが気になりました。せめてもの救いは、彼らが発表したときにそれなりの質疑があったこと。全く話す機会がない、質問がないという人がいる場合は、配慮してあげた方がいいように思います。

─── 2017 年に、第 1 回目の「10 会議」を発足し、本展のあり方を議論させていただく中で、出展者の選出方法として他薦である推薦枠を追加し、1 他薦・推薦枠、2 自薦・公募枠、3 シード・指名枠との 3 枠といたしました。また 2019 年の開催中、ゴールドメダルを獲られた秋吉さんから、出展者世代の方が若手の同世代の存在を多く知っているとの助言をいただいたことから、今年も出展者の皆様から、それぞれ 2-3 名のお薦めリストをいただき、これを参考に、皆様から推薦される方を選出いただきました。来年の推薦者の簡単なご紹介を五十嵐太郎先生よりお願いいたします。
（1989 年 4 月生まれ以降の方が応募可能・2025.3 月末日時点で 35 歳以下）

【2025 年推薦】審査委員長：藤本壮介

01．五十嵐太郎　●上野辰太朗
02．倉方俊輔　●房川修英＋石田雄琉｜Brain Sauce Studio
03．芦澤竜一　●田代夢々｜ateliers mumu tashiro
04．五十嵐淳　●グリアー・ハナ・ハヤカワ｜アキ・アーキテクツ
05．永山祐子　●下田直彦｜カナバカリズ
06．平田晃久　●大須賀嵩幸｜リトー建築研究室
07．平沼孝啓　●成定由香沙｜Studio Yukasa Narisada
08．藤本壮介　○2025 年 審査委員長のため不選出
09．吉村靖孝　●下寺孝典｜TAIYA

【2024 年推薦】審査委員長：永山祐子

●井上岳｜GROUP
●山田貴仁＋犬童伸浩｜Studio Anettai
●西尾耀輔＋片野晃輔｜veig
●石黒泰司｜ambientdesigns
○2024 年 審査委員長のため不選出
●石村大輔＋根市拓｜石村根市
●守谷僚泰＋池田美月｜OBJECTAL ARCHITECTS
●加藤麻帆＋物井由香｜加藤物井
●山川陸｜山川陸設計

【2023 年推薦】審査委員長：平沼孝啓

01．五十嵐太郎　●福留愛｜iii architects
02．倉方俊輔　●大村高広｜GROUP
03．芦澤竜一　●大野宏｜Studio on site
04．五十嵐淳　●竹内吉彦｜t デ
05．永山祐子　●久米貴大｜Bangkok Tokyo Architecture
06．平田晃久　●笹田侑志｜ULTRA STUDIO
07．平沼孝啓　○2023 年 審査委員長のため不選出
08．藤本壮介　●小林広美｜Studio mikke
09．吉村靖孝　●小田切駿＋瀬尾憲司＋渡辺瑞帆｜ガラージュ

【2022 年推薦】審査委員長：芦澤竜一

●佐々木慧｜axonometric
●石黒泰司｜ambientdesigns
○2022 年 審査委員長のため不選出
●森恵吾＋張婕｜ATELIER MOZH
○不選出
●西倉美祝｜MACAP
●Aleksandra Kovaleva＋佐藤敬｜KASA
●杉山由香｜タテモノトカ
●甲斐貴大｜studio archē

上記の他薦・推薦枠より 2-4 組、自薦・公募枠により 2-4 組、

●推薦枠・公募枠による選出数は、当年の審査委員長・選出数による。

五十嵐太郎：今回はまったく面識のない人を推しました。上野辰太朗さんという、東京都市大学を卒業して、今年のSDレビューに出ていた方です。若いので、実作はあまりないと思うのですが、雑居ビルを再編するというプロジェクト。正直、まだ深く内容を理解できていないのですが、プレゼンテーションの模型やダイヤグラムが独創的だったので、表現の可能性を感じて選ばせていただきました。

倉方：Brain Sauce Studio を推薦します。仕事幅が広く、リノベーションの仕方が面白くて興味を持っていたのですが、村野藤吾さんの晩年の作品である八ヶ岳美術館を見に行った際、メンバーの1人の石田雄琉さんが村野さんの建築を独自の視点で撮影したり、八ヶ岳美術館の模型もつくられていて、実際にご自身の設計の仕事と他者を観察するということがどうつながっているのか、興味を持ちました。

芦澤：田代夢々さんです。万博でトイレのデザインをされています。彼女が何を考え、具体的に何に興味を持ってつくっているのかを詳しく知らないのですが、一度お会いした時に、良い意味で変な人だな（笑）と思ったので話を聞いてみたいと思ったことと、作品にも興味があったので推薦しました。

五十嵐淳：今回は、あまり建築一筋ではない人を選びたいなと思っていましたから、グリアー・ハナ・ハヤカワさんを選びました。きっと面白いと思います。

永山：カナバカリズです。まだ住宅が大半なのですが、独特の世界観で住宅をつくっている。特にシロクマハウスという作品が良かったのと、あとは不思議な神棚の制作にも興味をそそられます。

五十嵐淳：あの神棚かっこいいよね。素晴らしいと思いました。

永山：いいですよね。神社がくっついているような精巧で不思議な神棚。神社がそのまま浮いているような設えからも、センスがあって面白そうなので選びました。

平田：大須賀嵩幸さんという、平田研出身の方です。博士過程にいたのだけれど途中で辞めて1人でやっておられます。平田研時代は北大路ハウスという建築学生のシェアハウスを担当していて、その後は砂木というところで活動し、今度は小豆島ハウスというプロジェクトを今も小豆島に住んでやっているようです。現在では、小豆島の役所からきた仕事もやっているようで、新しい建築の可能性を発見できるのではないかと思って選びました。

倉方：また、潜入している感がありますね（笑）。

一同：アハハ。（笑）

平沼：東京藝術大学大学院を出たばかりの、成定由香沙さんを推します。建築の実績はまだ何もな

いに等しいですが、ウェブにある 1 枚の写真の繊細な表現、情景の儚さに興味を惹かれました。秘めた可能性があるように感じます。時代の流れにも恵まれているといえるのでしょうし、本展でのおそらく最年少？となる挑戦に期待をかけてみます。

藤本：写真もやっている人ですね。アーティストと建築の間。不思議な立ち位置の人ですよね。

平田：おそらく中山英之研出身の方ですね。展覧会で成定さんに写真を撮ってもらったことがあります。

平沼：おっ、皆さんご存知なのですね。ご本人のことは知らなかったのですが、物事を捉え表現するセンスが良いのと、もしかすると本当は建築を凄くやりたいように思いましたので推しました。

吉村：2020 年ゴールドメダリストの山田紗子さんも写真を彼女に撮ってもらっていると思いますよ。僕は修士設計展で知りました。

五十嵐淳：アイデアコンペの審査をやっていた時に、アニメーションを流して一言もプレゼンせずに終えたのが印象に残っています。

平沼：へぇ、皆の印象に残るくらいですから、大物新人かもしれませんね（笑）。

吉村：僕は、屋台でこれほどのバリエーションが出てくるのかと思うくらい、いろいろやっているTAIYA の下寺孝典さんを推薦しました。

平田：移動系をずっとやっていく覚悟が表われている名前ですね。

吉村：そうそう（笑）。

──── 皆様ありがとうございます。この他薦・推薦枠より 2-3 組、自薦・公募枠により 2-3 組、前年の GOLDMEDAL 受賞者のシード枠希望がありましたら 2 組を含め、計 7 組を、来年の審査委員長、藤本先生に選出いただきます。選考時のお相手は、平沼先生にお願いいたします。そして若手を応援し、これからの若い世代に「建築への興味」を抱いていただこうと、各先生方による展覧

会会場でのイブニング・レクチャーを導入いただきました。当初は、大阪駅前という地方都市を代表する駅前での開催を継続するため動員数を増やす目的ではじめましたが、楽しみに来られる来場者もおられますので、来年も引き続き開催したいと考えております。どうぞよろしくお願いいたします。そして本展と所縁の深い万博開催がいよいよ来年に迫りました。本展の出展者を含む若手建築家の提案を、吉村先生、平田先生そして藤本先生がコンペにて選出され、小規模施設をつくられます。'70 より継がれた'25 万博は「建築の博覧会」としてどのような開催になるのか、藤本先生より、是非本展の誌面を通じて、可能な範囲でお話をご共有いただけないでしょうか。

藤本：これから先の 50 年をつくっていくのは本展に出展される若手建築家たちですので、本展・U-35 出身者の若手建築家がすごく頑張ってくれた、20 組のプロジェクトも見どころになると思います。またもちろん大きな木造リングや、伊東さんの大催事場、平田さんの小催事場、永山さんの 2 つのパビリオンなど、各国パビリオンも多くの建築家たちが携わるパビリオンがあります。大型の博覧会としては、日本では 50 年に一度、何が起こるか本当にわからない取り組みですが、ぜひ建築を目指す人たちは、万博という出来事や歴史を知る意味で体験すべきものという認識でいてほしいです。

永山：勝手に他の媒体が進めてしまうと伝わり方が違ってしまうこともありますから、ここにいるような建築家史家たちが建築ツアーをやるのがいいですよね。

平田：でも協会は、建築のレイヤーをしっかりと見せるということはあまり考えていない様子です。だからきっと、僕たちの側から何かやった方が面白くなると思います。

平沼：本展（公募選出による若手建築家の展覧会）の姉妹事業のように取り組む、建築学生ワークショップ（公募選出による地域滞在型の学部生院生対象）は、万博開幕の 2 日後の 4 月 15 日から会場で始動し、万博閉幕の 1 か月前、9 月 15 日まで開催します。その中で並走していただく文化庁と共に、会場内のパビリオン建築（約 170 個）の建築の展覧会を計画しています。とても暑い時期ですが、皆さんの建築ツアーを計画するというのはいかがでしょうか。

藤本：パビリオンを巡る建築ツアー！もいいですね、そして博覧会に合わせた建築のシンポジウムもたくさんやりたいですね！

一同：（大拍手）

―――― 最後になりましたが、今後本展へ応募をしてくる若手の方々や、出展を目指そうとする学生に向けて、メッセージをいただけないでしょうか。

平田：今年の一番の感動は、自分たちが建築を考えていたのとは違うアプローチで建築を考え始めている人たちがいて、自分たちも刺激を受けて、何か変化していくのではないかと感じたことです。また、U-35の方たちの一世代下、今の学生の人たちはさらに違う概念を持っているかもしれない。その何かをこの展覧会という機会を通して、自分の中ではっきりさせられたり、一緒に議論できることは素晴らしいことだと思っています。実際に U-35 出身者が、万博やいろんな場で建築家として活躍しているのを見て、独立している人たちは、是非勇気を出して応募してほしいと思います。

五十嵐淳：若いっていいなと思いました（笑）。正直、さっぱりわからないものが出てきたほうが面白い。それを狙ってくるということではなく、自然にそういう人が現れると、もっと本展は面白くなってくると思います。

平田：ガラージュも、なぜあそこまでするのかさっぱりわからないです（笑）。

一同：（笑）

藤本：単純に自分の想像の延長線上で理解できる範疇ではもはやなくなっています。それが U-35 の面白い点だし、今回の旧約聖書の読み方、考え方をあらためて気づかされたことでも、かっこよかった。

五十嵐淳：自分たちの聖書をつくろうとしているという姿勢はかっこいいなと思いましたね。そういう人がたくさん出てくるといいけれど、来年は藤本さんが選ぶわけなので、フィルターが重要になってくるわけではないですか。ですが、偏っていても面白いかもしれない。全員藤本さんのような人でもすごく面白いと思う（笑）。そこに審査委員長が 1 人で決めるという面白味があると思います。

一同：（爆笑）

五十嵐太郎：日本はプリツカー賞受賞者が世界最多国になり、世界から非常に高く評価されている一方で、国内では建築家はとにかく叩かれているという引き裂かれた状況です。自国評価と世界評価のズレで若手も悩むことがあるだろうと思うのですが、僕はせんだいデザインリーグなどで審査するとき、完全にわからないものを選ぶことが多い。淳さんが言ったように、自分の価値観を更新してくれるような作品に出会うことが、審査をしていて一番面白い瞬間でもあります。自分の趣味をただ確認するというよりも、むしろわからないものに触れたことで、世界の見え方が変わるような、そのようなものを是非ぶつけていただけると楽しいです。

藤本：どうか"藤本らしいもの"は絶対に出さないようにしていただいて（笑）。

一同：（爆笑）

――― 皆さま本日は、終日にわたり、誠にありがとうございました。本日は、展覧会会場での視察にはじまり、4 時間余りのシンポジウムの後、この会議の場にご参加いただき、貴重なご意見をいただけて心より感謝申し上げます。最後となりましたが、来年のシンポジウムは、2025 年 10 月 18 日土曜日と決定しておりますので皆さま、16 年目の開催もどうか引き続きよろしくお願いいたします。また本年の開催について、良いことも、良くないことも含めて話題にしていただければとてもうれしく思います。この後の会期中、是非 SNS などを通じて応援をいただけますと幸いです。それではビールをお待たせいたしました！出展者の皆様がお待ちでございます。この後、出展者へ

の労いと、励みのお言葉を掛けてあげてください。本日は、誠にありがとうございました！

一同：（大拍手）ありがとうございました！

2024年10月19日
大阪・梅田 グランフロント大阪　北館4階 ナレッジシアター・控室

U-35 2024シンポジウム会場の様子

special interview 前半 ｜ 藤本壮介（ふじもと そうすけ）
インタビュア：平沼孝啓（ひらぬま こうき）

── 2010 年、一度きりの企画展として開催された当時の U-30 は、三分一や塩塚、そして五十嵐淳らが新たな批評を生み出す議論の場を設けるものとして開催され、聴講に来ていた五十嵐太郎の突然の登壇起用や、伊東豊雄の「継続した比較ができ、若手への登竜門的な存在」となることを期待した言葉が発せられた機会となった。もちろんこの場には、平沼孝啓、そして藤本壮介がいた。以後毎年、出展者と議論を交わすため会場に駆けつけている。20 代の頃から藤本壮介を知る平沼孝啓によると、「まっすぐに建築に向かう純粋無垢な青年」だったと、当時の印象を話す。共に U-30、U-35 の頃、建築家の駆け出し時代に取り組んだプロジェクトや、コンペ＆コンテストを多数経験してきた二人が、ファウンダーとして本展を通じた建築展のあり方についてどのようなことを思い、どのような方向へ導くことを望むのか。開催当初から考察を続けて 16 年目。「これまでの 15 年の建築界」と「これからの 15 年の建築界」について藤本が出展者の公募（自薦・他薦）選考を 10 年ぶりに担う本年の審査委員長を務める立場で、本年の応募が締め切られた直後、審査する様子と選考の過程を収録すると同時に、「建築を志す若い建築家へ」向けたメッセージを含め、平沼が聞き手となり対談方式で考察する。

藤本壮介（ふじもと そうすけ）建築家
1971年北海道生まれ。東京大学卒業後、00年藤本壮介建築設計事務所設立。主な作品にロンドンのサーペンタインパビリオンなど。第13回ヴェネチア・ビエンナーレ金獅子賞（日本館）など多数を受賞する。

平沼孝啓（ひらぬま こうき）建築家
1971年大阪生まれ。ロンドンのAAスクールで建築を学び99年平沼孝啓建築研究所設立。08年「東京大学くうかん実験棟」でグランドデザイン国際建築賞、18年「建築の展覧会」で日本建築学会教育賞など多数を受賞。

平沼：藤本さん、あけましておめでとうございます！

藤本：おぉ平沼さん、あけましておめでとうございます！

平沼：今年の年始は北海道のご実家にいらっしゃったと先ほど聞きましたが、数年ぶりにゆっくりと、1月の後半にお会いしましたね。万博に取り組まれたこの5年間、本当にありがとうございました。この5年間で備え、ついに開催年を迎えたココ、地元大阪の55年ぶりの博覧会の開催年！いよいよです。

藤本：いやぁ、本当ですね。平沼さんとめちゃくちゃ一緒にやりましたものね（笑）。でもいざ始まるとなると終わりが見えてきて、ちょっと寂しい気もします。

平沼：この5年間は本当にずっと一緒にやってきて、本当にいろいろなことがありました。

藤本：そうですね・・・でも5年間はあっという間で、やっぱり寂しいです（笑）。

平沼：（笑）もう大変すぎて、早く終わるといいなぁと思っていたのですが、確かに何か寂しさが込み上げてきますね。大阪は地方都市の代表のような場所です。首都東京はもちろん素晴らしい場所ですし何でもありますが、地方にもそれぞれ特徴や魅力があって、地方からも多くの建築家が生まれています。そして万博が終わっても大阪はなくなりませんから（笑）、結果的にきっと一番よく通われた地方都市ですし、どうか第二の故郷のように慕ってください。必ずや大成功するでしょうし、そうなればエッフェルさん（笑）のように、藤本さんは関西人にとってのレジェンド！です。

藤本：ワハハ（笑）。何か新手の芸人みたいやなぁ。

平沼；（笑）さすが、関西弁を習得し始めましたね。さぁ、今年の出展者選考会。当初から10人の上世代の建築家史家が持ち回りで審査委員長を担当してきましたので、10年に一度審査委員長のお役目が回ってくることになるわけですが、たまたま万博開催年の25年に重なりました。まず今回の選出にあたって、テーマは考えておられますか。

藤本：あれから10年・・・経つのですね。正直未だわからないのですが、応募資料を見ていると、全体的に少し内向的な閉塞感があるように見受けられます。それには様々な理由があるのでしょうが、建築の方向性って、やはり無意識に時代の流れに適応していくことなのかもしれません。しかしそれを打ち破るようなものを見たいと思っています。決して時代の流れが悪いというわけではないのですが、ここ数年のU-35の出展作品を見ていると、木造で簡素につくられた建築や屋台提案のようなもの、ローコスト提案が目立った印象で、今回の応募資料にもそういったものがわりと含まれています。本展は若手の展覧会です。そろそろ何か、時代を切り開いてやるぞ！という、未来志向で先鋭的な想いが溢れているようなものが見たい。一方で建築は常に時代と共にありますので、こういった傾向であることは、まさにそのような時代なのだろうと納得させられる部分でもあります。あまり建築コストもかけられないので建物には至らないけれど、道にちょっとしたファニチャーを置いてみる、といった活動自体は面白い試みだと思うのだけれど、それだけだと、少し頼りない気がしてしまうのです。だからこそ、もっと切り開いていく力のようなものを見つけてあげたいと。

平沼:わかります。どうも提案の幅がしぼんでしまっているように見える。

藤本:何となく感じますよね。

平沼:ナンナンダコレ〜！？というような、小規模でも建築になっていて、不思議さを醸し出す面白さが欲しいのです。

藤本:そうですね。結局意味がわからないものが、時代を切り開いていくわけではないですか。皆、時代に対する傾向と対策がうまくなりすぎている気えすする。そこがもったいないと思います。

平沼:傾向と対策を練る気持ちもわかるのですが、金がない予算もない、問題起こすな！とばかりいい過ぎてしまっている社会への適応力が発達した結果なのでしょうか。昨今、少し違うことをやるとSNSでいろいろなことを言われてしまうので、ある程度の規定路線の中でやっておくことで、安心感を得るようになってしまっているように思うのです。ただ、それはそれで危険なことでもあって、発想が埋もれていく可能性も高くなる。だからこそ、ここではもっと自由にやってもらいたいなと思います。

藤本:若手が取り組んだ万博の作品も、ものすごく言われていますよね（笑）。もちろん質の高い建築をつくる責任が僕らにはありますし、一般の人が置いていかれてしまうようなものばかりをつくっていてはいけないとも感じますので、難しいところだとは思うのです。でも一方で、消極的な意見ばかりでなく一般の人たちの建築に対する期待が、最近高まっているのではないかとも思うのですが・・・。

平沼：いや、僕も一般の方たちからの建築の可能性への期待を感じます。

藤本：そうですよね。建築家側が無意識で一般の人はこういうものを求めているのではないかと考えている以上に、一般の方も、もっと建築が可能性を広げてくれるのではないかと期待してくれているように感じるのです。ですから若い世代もこれからはこんなことができるんだと、躍り出てくれたら嬉しいですし、何か繊細で微かな兆候があるのに、僕らが見逃して発掘できていないのではないかと言われないよう、丁寧に見たいと思います。

平沼：何か"新たな価値の位置づけ"がなされていないような方を応援したいのですよね。なんだこれ！？と世間では言われていたとしても、いや、そうじゃないのですよと伝えたい。後進の挑戦を後押ししていきたいです。

藤本：シニアへ向かう僕ら世代の責任ですね。しっかり応援しつつ、鼓舞していきたいなと思います。

── そろそろ選出に移らせてください。このインタビューは、2017 年に五十嵐太郎さんが審査委員長を務めた後の 10 会議での議論の結果を受け、2018 年に平田さんが審査委員長を務めた際の出展者公募の選出時とゴールドメダル選出のプロセスから、前半と後半に分けて図録に収録し始めました。2013 年、石上さんが出展年齢を 30 歳から 35 歳に引き上げた経緯を含めて、本展の開催を楽しみに毎年ご覧くださる方や興味を持たれる方々と共有し、将来、出展を目指す若手たちへ本展の開催プロセスを伝えようという目的です。

藤本：わかりました！まず 3 組、それぞれユニークだなと思っている方がいます。1 組目が上野辰太郎さん。このコンクリートのような謎のテクスチャー、また色からも建築をつくっていこうというところが見受けられて、面白そうだなと思いました。このようなテクスチャー自体は昔からあるのですが、照明というのは自然光だけではなく人工光もあります。ですが、上野さんは自然光のことをセンシティブに考えていて、その視点が面白い。2 組目は、成定由香沙さんです。提出資料にあるこれは、修士設計でしょうか？いろいろなものに晒される前の、ピュアでユニークな何かがここに表れているように思います。一方で修士設計や卒業設計という文脈の中に閉じているとも言えるのかもしれない。しかしこの作品からは可能性を感じました。

平沼：藤本さん、純粋無垢な危うさ、好きですよね。（笑）

藤本：（笑）えっ、そうですか？

平沼：僕が好きなのは、どちらにも倒れそうなのだけれど、まだどうにもなっていない抽象感。危うく儚い側面を感じながら、環境の良い影響ですくすく育つのなら呼び出してあげたいと。藤本さんも今までのシンポジウムで結構、そういう方を評価されているという印象があります。

藤本：確かにそうですね。建築というのは、これが正しい！と言えるようなものではなく、新しい価値観、救い出せそうな何かが、未来の可能性を切り拓くのではないかなと感じているからでしょうか。

平沼：その感覚がバツグンです。

藤本：3 組目は下田直彦さん。下田さんもまた少し不思議な建築ですよね。アート作品のような神棚やオブジェみたいなものも創作している一方で、小さくて比較的ピュアな構築性みたいな建築に戻ってきている感じがあって、その視点の行き来が面白そうだなと思いました。建築は社会的な状況や周辺環境、その人々の活動など、そういうことと常に関係を持ちながらつくっていかないといけないわけです。最近はそういうことが殊更強く言われているし、意識されている。先ほど話した屋台みたいなものというのは、まさにそういうことを突き詰めていった一つの帰結点になっていて、それはそれで大事なのはわかるのだけれど、それをそのままやるのはちょっと違うと思うのです。視覚的な体験や、内的なコンセプチュアルでパーソナルな部分を含めた施策、あるいは保守的なものと建築の関係などが割と閉じてしまっているではないですか。そういうものばかりに向かっていていいのだろうかと。それが正しい社会性みたいに言われて、つくりやすい、コストが抑えられるというところにアダプトしていった結果表れる凡庸さみたいなものに対する不満でしょうか。

平沼：社会の状況もわかるのだけれど、その回答だけでいいのかという違和感ですよね。

藤本：そうです！それでこの自薦の方の、オブジェで思考実験しているようなページが結構気になっています。社会を繋ぐような試みが描かれていて、どちらなのだろうなと思いつつ、そのようなものばかりを集めるのはどうなのかな、という思いがあってとても迷っています。

平沼：展覧会自体が藤本ディレクションの年になりますので、藤本さんの色でやっていくという方法もありますし、いわゆるグループ展としてのバランスをとっていこう、という選出方法もあります。この選出テーマが毎年、非常に難しくて、提出資料の比較だけで選びたくないからと多様性だけを採用すると、いざ展覧会になった時に各作家の個性や特徴が見えづらくなってしまう可能性が出てきて、主旨が届きにくくなってしまうのです。非常に難しいところです。

藤本：なるほどねぇ。どうしましょうか（笑）。続いて他薦枠のこの方は、展示計画の絵がすご

く美しくて魅力的。かなりセンスのいい方だなと思うのだけれど、パンチがない。

平沼：一つ一つを丁寧に扱われることで、繋がりがわかりにくくなっていく。

藤本：僕自身もよく考えることですが、建築というのは時代を行ったり来たりしつつ、敢えて何かをぶち壊すような発想と、社会に寄り添っていくという根幹、常に両方を含んでいると思うのです。建築はより顕著にその傾向に触れて繰り返すものだと思うのですが、近年は災害もあったことで社会に寄り添うという傾向が強くなっていた。さらに彼らの世代ではコロナの影響も大きくあったでしょう。しかし影響による保守性だけではないような気がするのです。そろそろ新しい価値みたいなものが若い世代から出てきてくれると嬉しいです。

平沼：そうですよね。その時代の生活文化を映す鏡のような存在が建築です。その時代を反映した新しい価値観を感じさせる展覧会にしたいですし、そこをどう示せるかというところに、U-35 の面白さがあると思います。建築展は、現代美術のように発表を伴う展覧会と違って、過去の建築プロジェクトを図面や模型、映像で示すことが多い分、未来を予感させてくれる新しい価値観を持つ世代に期待している、それが U-35 の醍醐味なのですよね。

藤本：U-35 は今の時代とこれからの未来に期待されていますからね。さぁ、次にこちらの自薦の方。何か模索している気がします。関係という言葉の多用については、関係だけがあってもそれが本質なのかというところが少しありますが（笑）、面白そうな絵もあって気になっています。それからこちらの自薦の方。状況としてはすごく面白いのだけれど、建築的に見た時に何にチャレンジしているのかというのがわかりにくい。切り拓くということについては応援したいのですが・・・いろいろなところに学校をつくるなどの活動を行っているようです。続いてこちらも自薦の方ですね。名前は聞いたことがある気がするのですが、SD レビューで選ばれたプロジェクトを出してきてくれています。少し不思議さを感じている方です。あとは田代夢々さんです。万博でトイレ 8 の設計を担当している方ですね。アイデアコンペやこの修士論文あたりは面白いのだけれど、平沼さ

ん、どうでしょうか？

平沼：うーん、少し保守的につくられているようにこの資料では感じます。

藤本：そうですね。ご自身が何をやりたいのかがまだ表せていなくて、見えてこないところが気になります。石田さんと房川さんも気になっています。しかしこちらのカーテンの作品はすごく繊細さを感じるのですが、展示プランはよくわからないです。何を見せたいのかがイマイチわからない。文章を読んでみてもわかりませんでした。

平沼：3時間経ちました。藤本さん、ここで少し休憩をとりましょう！

（審査再開）

藤本：たこ焼きをいただいて、大満足しちゃいました！（笑）

平沼：ここは大阪の道頓堀川沿いですから、ならではのものを用意しました（笑）。では先ほどの続きなのですが、現時点で3組の候補者が上がっています。U-35は選定基準が審査委員長によって変わりますし、出展者も多様に変化していきます。コンペのようにその計画地に合わせた提案をいただくものでもない。ただ、落選するとやはり皆さん、かなりショックを受けられるように思いますし、僕が挑戦者ならすぐに諦めてしまいそうですので（笑）、藤本さんから皆さんに向けて、勇気や希望を与えるメッセージをいただけないでしょうか。

藤本：当年の審査委員長が独自の選出テーマを判断基準にして決定していきますので、あまりショックなんて受けないでほしいですが、冒頭でも伝えたように、さらなる奮起を期待したいです。もし今年の選出基準の感覚が、そもそも落選された方たちにとってリアリティーがなく、何のことなのかわからなかったり、あるいはそんなことをやっても意味がないと思われたり、伝わらず諦めてしまうのかもしれない。だけれど、建築というのは新しい価値観を常につくっていく仕事だと思うのです。例えば社会性に繋げるにしても、決まりきった社会性に合わせて

いくというのが建築なのではなく、その社会性自体が常に問い直され、新しく提案され、歴史を繋ぎ、でき上がっているのです。歴史観にせよ社会性にせよ、建築にまつわる様々な価値観に何か決まりきったものがあって、そこに従わなくてはいけないということは実は一つもない。むしろ全てのことが建築家だけでなく、いろんな分野の方々が新しく創造し切り開いて、次の時代の価値観になっていくのです。だからそれを諦めないでほしいのです。

平沼：ありがとうございます。僕らの世代くらいまででしょうか。建築で社会を構築できていると信じていて、特に若い頃は「建築で社会を変えてやるぞ〜」「社会を建築で豊かにしてみたい！」という気概を持っていた（笑）。今でも僕らは諦めずにそう思っている部分があるのです。

藤本：そうなのですよね（笑）。そこに僕らは期待をしているし、僕ら自身もそれを求めているのですよね。もちろん若い世代が諦めているわけではないと思いますが、もっともっと勇気を出して提案をしてもいいのではないかと思うのです。どうも社会に対して「枠の中でうまくやる」「きちんとしなくては」という意識があるような提案なのです。きちんとしなくては、と思っている時点で、既に停滞している。新しい価値を見出すような提案が欲しいです。

平沼：現代の成熟社会というのはある種、社会がきちんとしていることなのかもしれませんが、そこに合わせにいくことがきちんとしているということではなくて、この先にある成熟ささえも突き抜け引っ張っていけるような切り開き方を目指してほしいということですね。今日のお話の中でも繰り返し出ていますし、そこが今回の藤本さんの審査基準だと思います。でも実際ここ数年は、推薦枠で応募される方たちがハイレベルでして、今回、藤本さんも推薦枠 8 組の中から既に 3 組を選んでおられます。

藤本：いや、ちょっと待ってくださいね・・・（笑）。この自薦の方は、海外で社会的に活躍しているところはいいのだけれど、あまり建築アイデアが見えてこないといいますか・・・。

平沼：（笑）構成や仕組みは上手だと思うのですが、建築になった時にどうなっていくのかというところですね。

藤本：そうです。逆にこの方はプロダクト的なものが多いのだけれど、実物をいっぱいつくっているからモノとしての展示には耐えそうな気はしま

す。ただ、建築的にどうなのかといわれると、この資料ではわからないのですが、展覧会慣れはしているのかな。うーん・・・、ホントに難しいな。今年は最初に挙げた3組だけでいきましょうか。

平沼：えぇ！？またそんな逃げ腰になられて（笑）、お願いしますね！

藤本：（笑）うぅ・・・がんばります！こちらのペアは少し鈍臭そうなのだけれど・・・いや、待てよ、事務所をそのまま持ってきます、という展示プランは即物的すぎていただけない。U-35を見に来たことがないのかな。

平沼：最初に傾向と対策の話も出ましたが、15年やっていますし、展覧会場はいわゆる計画地になるわけですから、さすがに現地調査した上で展示プランを計画しているでしょう。しかし、確かにそのアイディアプランはもう見飽きていますね。

藤本：そうですよね。こちらの方は SD レビューを取っているぐらいなので力量はあるのでしょうけれど、資料からはあまり魅力が見いだせない。この方は屋台以上に広がるのか、そこを見せてくれればいいのですが。夢々さんも何をやりたいのかがまだわからないのですよね。ただ顔の見える建築というのは面白いかもしれません。

平沼：さぁ！もうタイムオーバーして 2 時間ですが、あと 1 組がなかなか決まりません。

藤本：むむむ、、、決められない。明日も平沼さん時間ありますか？（笑）

平沼：ナイナイ！藤本さんもこの時期、予定がパンパンでしょう。

藤本：なんとかならないかなぁ（笑・・・藤本平沼でスケジュールを見せ合う）。

平沼：本当に 2 日間やるのですか！？いやいや・・・（笑）。では先に締めのインタビューを先に録っておきましょう。今年の開催に期待することを聞かせてください。

藤本：（笑）選出者の皆さんは、これから出展者説明会まで約 2ヵ月 + 出展者説明会から半年間ありますので、さらにバージョンアップして新しい自分を発見してほしいと思います。その間エスキースや議論でグループ展として皆さんとディスカッションしてほしいですし、同時に、今回の展覧会を見た同世代の方たちや若い方たちがそこから刺激を受けて、もっと勇気をもって新しいチャレンジをし始めるきっかけになる展覧会になるといいなと期待しています。

平沼：万博の閉幕が 10月13日。その後 5日後の 18日から U-35 が始まります。前回の '70 博後、世の中が変わったと聞いていますので、新しい時代を予感できるような展覧会にしたいなと僕も思っています。

藤本：そっか、万博終了直後。僕らも偉そうなことを言っていられないかもしれないですよね。ただひたすら「申し訳ありませんでした！」と謝っているかもしれません（笑）。

平沼：アハハ（笑）本当に、出展者の皆さんに助けてもらってたりしてね。楽しみにしています。

（結果として難航し、翌日に初2日目の審査へ）

―― U-35 は作品展示と共に、一同で議論を交わすシンポジウムが初年度からの醍醐味となりました。毎年、満員となる定員 381 名のシアター会場の聴講者の方々と公開審査を共有するため、日本語を話せることを条件に世界から公募で毎年、出展者を募っています。毎年 1 月の締切後すぐ、事務局でチェックをしまして、審査委員長へ郵送して届けます。到着後にすぐに執り行われる選考審査は、予め当年の審査委員長の建築家史家の先生方が応募資料を読み込まれ 7 組の候補者を挙げ、平沼先生との対談にて選考審査の発表をいただきます。この際、この様子を録音し運営学生らが文字起こしをして、当年の図録に選考の記録を掲載していただいています。当然、文字起こしの際、私たち学生は録音した音声を聴くのですが・・・選考審査がこれほど難航し・・・これほど厳正に執り行われておられるとは知りませんでした。あらためて初めての 2 日間に渡る選考審査から、出展候補者に挙がった方たちをお一組ずつ教えてください。また選考の基準やテーマで選出されたのか、総評もお聞かせいただければと思います。

藤本：本当にムズカシイのです。でも 2 日目もお付き合いいただいてありがとうございます。基本的には何か新しい建築を切り開こうとしている方、その中でもその切り開き方が鮮やかであったり、ユニークであったりするものを選んだつもりです。それからわりと、一つの傾向に偏るわけでも、まんべんなくというわけでもなく、何度も見返しながら、じっくり本年の出展者の方たちを選びました。

平沼：結果として見返すと、多様に変化していくのがこの展覧会のコンセプトの一つですし、確かに主旨に沿ってい

る気がします！

藤本：未来は未だわからないですからね。僕ら自身もわかっていないし、様々なことを試みようとしている後進を挙げ、展覧会への期待を含めて選びました。ただの方もそうですが、展示プランがまだ詰められていないなと感じましたので、それはこれからエスキースを含めてやり取りを重ねていきたいです。

平沼：展示エスキースも4月の出展者説明会の日にやりますので、7組が皆、一緒になってブラッシュアップできるよう、藤本さんに入っていただくとうまくいく気がします。ではではあらためて！1組ずつ講評と共に発表をお願いします。

藤本：はい！まずは上野さんですね。上野さんは五十嵐太郎さん推薦の指名枠ですが、この方は照明デザインの事務所で働いてから空間デザインを始められた方で、それゆえに視点が独特で面白いですし、素材の表面の凹凸感や色彩感といった、目に見えるものだけれどもそれが単なる視覚だとフラットになってしまうようなところ、そこにスポットを当てて空間性がつくられていて、何か不思議な魅力を放っているように感じました。結構独特ですよね。すごくユニークですので、いろいろと話を聞いてみたいなと思います。

平沼：当然ですが、こういったオリジナリティがある人はいいですよね。会ってみたくなります。

藤本：次は成定さんです。去年修士を出てすぐに自分の事務所を開設しておられます。実務をやってこそ考えられることというのは当然あるのだけれど、逆に今の時代は実務が結構厳しい。クライアントの要望も複層される中から逞しく建築を模索していくということもあるのだけれど、そうではなく、それ以上にもっと自分が考えること…自分に閉じているわけではなく、自分以外の身近な他者との関係の中から建築をつくっていくということをやろうとしている。社会性とか、開かれているということがさらに必要になっていると思われがちなこの時代において、そういうことをあえて探求しようとする想いが、面白いなと思っています。閉じていればいいというわけではないのですが、閉じた先を見つめているのではないかなと勝手に思っています。その辺の話をよく聞きたいですね。

平沼：依頼されてから回答をつくるのではなく、依頼された時には、自らの回答がある。こう

いうことのために閉じた時期は必要だと僕も感じます。では3組目の講評をお願いします。

藤本：下田さんは建築を学んではいるのだけれど、神棚やオブジェクトみたいなアートを創作していて、しかし単にオブジェクトをつくっているのではなく、そのミニチュア的なものと実建築との間を行き来する中で浮かびあがる幾何学性にせよスケールにせよ、初めて生まれてくるような不思議な建築をつくっていそうな気がします。ディテールにしても、謎の神棚はかなりユニークだと思い選出しました。

平沼：謎めいた神棚には、僕も興味があります（笑）。

藤本：残りの4組は全く傾向が違っています。まず石田さんと房川さん。建築的なのだけれど、同時に建築に収まらない素材であったり、アーティスティックな何かであったりというのが面白い。いわゆる社会に開いている屋台みたいなものが出てくるのに対して、街の皆と何かをやっているというのとは少し違う部類です。それぞれが試みていることが違っていて、面白そうだなと思いました。田代さんは、万博のプロジェクトもやってくれているのですが「顔の見える建築」をつくろうというタイトルが展示計画にあって、これが面白そうだなと思う。つくっているものはよくわからないものやパンチに欠けるところもあるのだけれど、この「顔の見える建築」という言葉で、彼女のやっていることをどうアップデートしていくのかということが、単にワークショップをやります、街に開きますという話に収まらない何かを期待できるのではないかなと思いました。次はKKALAの工藤希久枝さんと浩平さん。最後に載っていた謎の茶小屋のようなものが不思議な魅力を放っていた。あとは最初の椅子ですね。こちらは結構未来っぽい感じがして、茶小屋と違うようで似ているような、その先に何が表れてくるのだろうかと思って気になりました。展示プランはもう少し議論したいですね。最後は大阪ご出身の大坪さんと上田さん。一見鈍臭そうなプレゼンをしているのですが、鈍臭いのとクリエイティブが同居している感じで、面白そうだと思い選出しました。

平沼：せっかく出展してもらうのであれば、ゴールドメダルを狙ってほしいと思うのですが、この鈍臭さのまま出展されるのは、少し気がかりもあります。他の方たちと勝負できそうですか？

藤本：展示にかかっていますね（笑）。

平沼:展示次第でもしかするとゴールドかもしれない。そういうことですね。

藤本:彼らがやっていることの面白さを、僕らも見つけてあげないといけない。それを展示で見せられるようにしてあげないといけないのですよね。単に事務所を持ってきます、という展示なんて見飽きていますから、手がかかりそうだな、世話が焼けそうだなと思います。前半3組は割と自分のやろうとしていることが明確になっているのだけれど、あとの4組はまだ見えていない。ですが、それが逆にいいのかなと思います。3組もやりたいことが見えてきているとは言ったものの、そこに着地していいのかどうかは、多分ご本人もわかっていないことですし、僕らがもう少しその先を一緒に見ることができれば面白いですよね。しかし大丈夫かな。選ぶのは苦手なので心配になってきました・・・(笑)。

平沼:きっと得意な人はいませんよ(笑)。人が人を選ぶというのは難しいですが、安藤さんや伊東さんもそうだったように、僕たちもそういう責任を伴う年齢になってきたということですね。では今年の出展に落選してしまった方たちに、励みの言葉をいただけないでしょうか。

藤本：そうですね。建築というのは本当に多義にわたる行為、活動全般だと思います。社会の中での場のつくり方を考えるなど、皆の活動は全てが本当に尊いと思っています。今年落選しても自信を持って活動を続けていってほしいと思います。どのような活動であれ、その先に何が広がっていくのかということを考える楽しみがありますし、今自分たちがやっていることが、さらにその先をどう切り開いていくのか、ぜひ勇気を持って一歩踏み出してほしい。選出された人も含めて常に考えていってほしいと思います。

平沼：ありがとうございます。やり続けていることで必ず誰かがその価値を見出してくれる土壌があるのです。だから諦めないで続けていってほしいです。SD や建築文化など若手が発表できた雑誌が休刊になったのが 2006-07 年頃。それまではそういう雑誌を読み、建築界全体で若手が認知されていました。その雑誌で発表するという場を失った人たちを実際に呼んで展覧会で作品を見せてもらい議論しようと、この建築の展覧会を 16 年前に始めたわけですが、今年は藤本さんが森美術館で大規模な展覧会を開催されます。どのようなことを発信していこうとされているのか、お聞きしたいです。

藤本：建築の展覧会というのは本当に難しいですよね。安藤さんのように展覧会で 1/1 で原寸をつくることができれば皆が納得できるのでしょうが、そういうことが毎回できるわけではない。ですので、単に建物がこうできています、このような建物をつくりましたということを模型やプロセスで示すだけではなく、僕らが建物をつくることによってどのように社会や共同体、世界をつくっていこうとしているのかというメッセージを発信しています。例えば万博のリングであれば、様々なものがつながる、それが同時に起こるんだということを伝えたいのです。その両方があって、未来をつくっているということなのではないかなと思います。建築というのは展覧会の会場で起こっていること、それ以外のところ、現場や過去、それから未来に全て繋がっているものですよね。やはり自身が切り拓くというメッセージを伝えることで、見に来た人はこういう未来に向かえるのかもしれないと期待できる。一方で展覧会をやることは自分が何をやっているのかということをすごく理解できるプロセスでもあるのです。今何に興味を持っているのか、自分のルーツ、現在地、それから今後どこに向かっていくのかをすごく考えるわけです。その過程でいろいろな言葉や考え方が見えてくるわけですよね。僕も森美術館の展覧会を約 1 年準備している中で、やはりすごく考えがクリアになりますし、自分たちがやっていることに対しての理解を深められる機会になりました。この時期にあらためて考えることで、自分がやっていることは、こういうことなのではないかということを、あらためて深く知るきっかけになるといいと思っています。

平沼：藤本さんが 30 代にされた展覧会では全くわからなかったのですよ（笑）。当時、「僕はプロダクトや展覧会が苦手なのです」と仰っていたのですが、先日太宰府天満宮で、仮殿のアーカイブ展？藤本壮介展を見ると凄く良くて僕は驚いたのです。これほど上手くなったのか！というくらい（笑）。

藤本：わぁ、本当に！？ありがとうございます（笑）。

平沼：本当に密度の高い、解像度の高いプロセス展で面白かったです。今の時代の形態の位置づけ方も含めて、藤本壮介が社会と合ってきたというのか、それとも社会が追いついてきたのか、すごく純粋で上手だなと思ったのです。以前と比べて何か意識して変えた、もしくは変わったところがあるのでしょうか？

藤本：太宰府天満宮では、素直にあまりコテコテしなくていいと思ってやりました。一つのプ

ロジェクトの展示ですし、展覧会の部屋も広くない。素直に並べればいいのではないかと、それ以上のことはあまり考えていなかったのです。

平沼：でも西高辻宮司がすごく喜んでおられて、これだけのことを建築家は考えているのかと素直に思わせてもらえたと仰っていました。もしあの手法がシンプルにやっただけということなのであれば、U-35 の出展者ももっとプロジェクトを絞るなどして素直にやればいいのではないかと思うのですが。

藤本：いや、彼らの年頃は素直にやらないで、のたうち回った方が面白いと思っています（笑）。素直にやることでもちろん良い結果を生む場合もあるのですが、早い気がする。まだまだ自分が本当に何をやっていくのか、予感があってもわからない時期ではないですか。その時期はのたうち回ったぐらいの方がきっといいですよ。

平沼：ということは、自分のやってきたこと、やることを見つめ直す機会としつつ、展覧会を一つのプロジェクトに見立てて挑戦しろ！ということですね。

藤本：そう、それぞれのクリエーションの中での挑戦をしてほしい。大宰府に関しては展覧会という意味での挑戦はしていないわけです。ピシッと大人の展示をやった。でも森美術館の方は大人気なくいろんなことをやろうなんて思っています（笑）。

平沼：とはいっても太宰府天満宮の仮殿でやっていることは大人気ない（笑）。モノが境内にありますので、一目瞭然ですが、初期と違って現在は森が育って山に馴染んだ状態です。当初はなぜこんなのをつくったの？と言われたはずなのですが、こういうことだったのか、と理解できる展覧会になっています。

藤本：U-35 に応募される方々は結構、社会に対してソフトランディングするような大人気ある提案が多いですよね。だけれど本来、建築家という個人が七転八倒しながら、訳のわからない大人気ないことをいろいろ考えてひねり出したようなものが未来をつくっていくのです。だからこそ、大人気なくやってほしいですね。キレイに収まるのではなく、その結果、壮大に滑り倒すかもしれないけれど是非挑戦してほしい。社会的に正しいからというのではなく、そんなものは見たことないぞ！というその衝撃が、世界を未来に導いてドライブしていくのですからね。

平沼：本当にそうあり続けたいですし、そうありたいですね。2 日間にわたり本当にありがとうございます。

藤本：本当に長い時間、ありがとうございました！

2025 年 1 月 23・24 日
平沼孝啓建築研究所 にて

exhibition overview

「既知より、未知。」

　建築の展覧会は、一般的なファイン・アートの美術展とは異なり、展示での発表が主体とならないことから、展示手法と目的に違いが生まれ、系譜が示されず、発展途上の分野であるといわれてきました。それは、それぞれの人が暮らす地域にある、実際の建築の方がより身近な存在であることと、建築展が開催される頻度や時期が不規則であることが多く、継続した開催を続けるものでなかったために比較にならず、定着しなかったことがひとつの理由でしょう。非日常的な存在性を放ち、常識に対する新たな視座を示していくアートに対して、建築は、私たち人間が生きていくための場所として生活を守り、活動を促すために存在しています。つまりその場所に根づいた産業や自然環境とともに、歴史と、その地域に生きた人の生活文化を映す鏡といえます。だからこそ、その建築の空間性にその場所が持つ自然の豊かさを表現したいと、建築家たちは未来へ向けた願いを提案します。有形、無形を問わず、人を感動させる力を持ったものに備わる豊かさの中には、人間の創造力を働かせ、計り知れない努力を重ねた上に成り立つような「テクノロジー」と「芸術性」が存在するものです。本年の出展者である彼らもまた、これからの社会環境をつくっていく時に、このような芸術性の高い空間をエンジニアとして実現させていくことで、人のためだけでない、後世の自然も含めた環境との共存のあり方も同時に探りたいと模索しています。

　それは近現代、世界から日本の建築家及び、日本の建築技術が評価され続けている理由にあります。二千年も続く日本の歴史年表と共に併走する独特な建築文化に秘められた伝統技法の継承です。現在も、二十年に一度、伊勢・神宮で行われる式年遷宮、あるいは六十年に一度行われる島根・出雲大社の御遷宮のように、一見すると同じ建物を繰り返し作り直しているかのような遷宮は、その時代ごとの先端的な手法と伝統技術を合わせて継承しています。また建造した後、戦争や落雷、暴風により損壊した奈良・東大寺では、何度も繰り返し民意の力で再建されてきました。それは一度建築をつくれば千年残すような欧州文化と違い、一度建築をつくれば、そのつくり方という手法の継承を千三百年～二千年もの間、人に繋ぐことで、技法を高めていくような文化を持つ民族だからこそです。本展は、まさに、日本の現代社会の位置づけを、建築の歴史年表の行間から将来を読み解くことを可能とするでしょう。

　昨年10月より公募による募集を開始しました本年の出展者たちは1月17日に締め切り、選考を開始しました。近年は一世代上で活躍する建築家・史家の中から1名による選考が行われ、2014年石上純也、2015年藤本壮介、2016年五十嵐淳、2017年五十嵐太郎、2018年平田晃久、2019年倉方俊輔、2020年谷尻誠、2021年吉村靖孝、2022年芦澤竜一、2023年平沼孝啓、2024年永山祐子と継ぎ、2025年は藤本壮介が10年ぶりに審査を務めます。大学へ入り意欲的に建築を学んだ「建築の第五世代」

と称されるアトリエ出身者の系譜を継ぐ者や、海外で建築を学んだ経験をもつ者たちが選出され、その出展作は、地域に根ざした建築や改修プロジェクトが多く、街の風景に存在し続けた建築に新たな時代の価値を与えるような提案が際立ち、近い経験で立場が異なるスタンスの設計活動に取り組む出展者が、短く限られた時間の中でひとつの展覧会をつくりあげ、同じ時代背景の中で学んできた同世代だからこそ生まれる「新たな価値」を示しているように感じます。展覧会に取り組むことで建築家としての意識が大きく変わり、ジュニアからシニアまで世代を超えた来場者から若い建築家へ新鮮さを求める状況そのものが、本展を継続して開催する意図に重なるのかもしれません。

　第 16 回目となる、建築家への登竜門「U-35 Under 35 Architect exhibition｜35 歳以下の若手建築家 7 組による建築の展覧会」を今年も開催いたします。2010 年より大阪・南港 ATC にて開催をはじめた本展は 5 年間の開催を経て、6 年目の開催となりました 2015 年より、関西の玄関口・大阪駅前に位置するグランフロント大阪・うめきたシップホールにて開催を継ぎ、大阪・関西という街が応援する U-35 として、建築のプロセスを体験してもらおうと、毎年、受け継いだバトンを一度も落とさず本年の開催に挑みます。

　本年は「既知より、未知。」という時代変革のディレクトリをテーマに、完成時点でひとまず停止する実際の建築を見てもわかりづらい、一般者にとっては高度な設計手法をわかり易く体験型で示しているのが特徴です。つまり建築の竣工後には理解しづらい「設計や施工のプロセス」、「実際の建築として使われた後の状況」を展示で表現すると共に、繰り返し行われる設計の「スタディ」から生まれた、「タイポロジー」としての構造のアイディアや、室内環境のコントロールに「トポロジー」としての考え方を盛り込んだ意図を紹介します。また会期中には、日本の建築文化を深く理解されている、建築関連の企業や団体との関連イベントを開催すると共に、連日、出展者による「ギャラリー・トーク」や、出展者の一世代上で日本を代表し活躍される建築家たちによる「イブニング・レクチャー」など、若い世代だけでなく、建築界全体の広がりに想像力が働くような取り組みを試みます。ここが後進者の希望につながる実践を体験する場となり、これからの社会を築く現代の人たちにとって、将来への希望や期待につながるような機会となることを願います。

　最後になりましたが、本年の展覧会の実現にあたり、ご支援・ご尽力をいただきました関係者各位のご厚意に、心より深く御礼を申し上げます。

AAF アートアンドアーキテクトフェスタ

profile
出展者情報

石田雄琉＋房川修英《想像の手ざわり》

上田満盛＋大坪良樹《大阪の街に開かれた建築をつくる》

上野辰太朗《階段のとなり》

工藤希久枝＋工藤浩平《浜辺のような建築》

下田直彦《シロクマハウス》

田代夢々《人間的な家》

成定由香沙《引越しと改修》

石田／ 1999 年生まれ。2021 年京都芸術大学卒業。2021-2024 年 SANAA 事務所を経て、Brain Sauce Studio 共同主宰。
房川／ 1997 年生まれ。EUGENE STUDIO を経て、Brain Sauce Studio 共同主宰。
主な仕事に、ブランド構築から設計まで携わった ＜SEW STAY＞ 京都・岡崎の古着屋ショップ ＜arch＞ などがある。

上田／ 1991 年大阪府生まれ。2017 年大阪市立大学大学院（現 大阪公立大学）修士課程を修了。2017-20 年住友林業、2020-22 年新空間設計を経て、2023 年 ueo 一級建築士事務所を共同設立。
大坪／ 1992 年大阪府生まれ。2017 年大阪市立大学大学院（現 大阪公立大学）修士課程を修了。2017-23 年 siinari 建築事務所（現 YAP）を経て、2023 年 ueo 一級建築士事務所を共同設立。

1996 年東京都生まれ、北海道育ち。スウェーデン留学、東京とベルリンの建築照明デザイン事務所での経験を経て、2024 年東京都市大学建築学科を卒業。同年よりフリーランスとして建築設計に携わる。作品に、建築と動植物の分かち難い関係性を主題とした卒業設計〈The Open〉、雑多な郊外に「普通」の条件のもとに建つ建築のあり方を構想した〈溝口一丁目のテナントビル〉（SD レビュー 2024 出展作品、篠原勲と協働）など。研究テーマとして、ドイツ人建築家ジモン・ウンガースの作品分析がある。

工藤希久枝／ 1994 年静岡県生まれ。2017 年東洋大学理工学部建築学科 藤村龍至研究室 / 工藤和美研究室 卒業。2019 年東京都市大学工学研究科建築学専攻 手塚貴晴研究室修了。2019-23 年内藤廣建築設計事務所勤務。2024 年 - 東洋大学理工学部建築学科 設計アシスタント。2025 年 KKALA 共同設立。
工藤浩平／ 1996 年神奈川県生まれ。2019 年東京都市大学工学部建築学科 手塚貴晴研究室卒業。2019-25 年隈研吾建築都市設計事務所勤務。2025 年 KKALA 共同設立。
主な作品に「State of the Village Report 2019」「山中の市居」「いす」「斜めの家」がある。

1989 年 長崎県生まれ。2012 年 熊本大学卒業（田中智之研究室）。2014 年 武蔵野美術大学大学院修了（布施茂研究室）。2014 年 大石雅之建築設計事務所、2015-2017 年 東 環境・建築研究所を経て独立。2017 年 正木知子とともにカナバカリズを結成。「生活すること」「考えること」「手を動かすこと」をテーマに、建築設計だけでなく、神棚などの造形作品の制作から、コラム・論考などの執筆活動、メディアへの寄稿・レシピ提供などの料理・暮らしの研究まで、幅広く活動を行なっている。主な受賞歴として、2017 年 ダイワハウスコンペティション優秀賞（作品「驢馬」）、2021 年 新建築論考コンペティション佳作（論考「電気羊と野生の身体」）など。

1995 年東京都生まれ。2017 年早稲田大学創造理工学部建築学科卒業。卒業論文『ル・コルビュジエ自邸《ポルト・モリトールの共同住宅》の実空間分析に基づく〈人間的建築の五つの要点〉の定義』にて日本建築学会学術講演会若手優秀発表賞受賞。パリ・ラヴィレット建築大学および Antonini Darmon Architects Paris を経て、2020 年早稲田大学理工学研究科創造理工学研究科建築学専攻（古谷誠章・藤井由理研究室）修了。修士論文『吉阪隆正の三次元観 —U 研究室と "大学セミナー・ハウス" の口述史を巡って—』にて早苗賞受賞。2019〜2022 年レミングハウスにて中村好文氏に師事し、住宅と家具の設計・現場監理に従事。2022 年 Ateliers Mumu Tashiro 設立。同年「2025 年日本国際博覧会 休憩所他 設計業務」の優秀提案者に選出され、トイレ 8 の設計・現場監理を担当（斎藤信吾氏，根本友樹氏と共同設計）。

1998 年生まれ。2024 年東京藝術大学大学院美術研究科建築専攻修了。主な作品に廃炉になった原子炉とその背景となる核のコロニアリズムを題材とした『行方不明者の家（Radioactive Ghost House）』（2024）や、失われゆく歴史に対する記念的空間を構想する『香港逆移植』（2021）など、建築・映像・写真を主な領域として思考・表現する。主な展覧会に個展「Over My Head・あたまの上で」（2025/CALM&PUNK GALLERY）、京都芸術センター Co-program 2023 採択企画として「Ground Zero」（2023/ 京都）などがある。

① 引越しと改修　　成定由香沙

この家には、母の名前のつく個人部屋だけがない。フェミニズムから我が家：90年代の輸入住宅の「改修」を試みる世界線と、そこから逆算した、母の片付けから紐解く、母権的な「家」を再構成する「引越し」を考える世界線、2つの我が家族の行先を思考する。

② 浜辺のような建築　　　　　　　　　　　　　　　　　　　　　　　　　　　　　　　　　　　　工藤希久枝＋工藤浩平

開放的で未完結な、動的で多様な、建築がそこに立ち、人や生活が息づく。そんな美しさに果てしない好奇心がある。それは「浜辺のような建築」と呼べるものなのかもしれない。

③ 階段のとなり　　上野辰太朗

築37年のテナントビル。その1・2階をつなぐエスカレーターを、維持コスト削減のため階段へと架け替えた。既存の階段のとなりに建つもう一つの階段というささやかな改修を通じて、まちの解像度に馴染みつつも、自律した建築のあり方を模索している。

④ 大阪の街に開かれた建築をつくる　　　　　　　　　　　　　　　　　　　　　　　　　　　　上田満盛＋大坪良樹

私たちは大阪の街に「誰でも立ち入ることのできる場所」のある建築をつくってきた。これまでの仕事を振り返りながら、観察と実践を繰り返し、その先にある大阪らしい建築と街の風景を示したい。

⑤ シロクマハウス　　　　　　　　　　　　　　　　　　　　　　　　　　　　　　　　　　　　　　下田直彦

北海道にできた住宅。あるかたちを出発点に、そこで住人が住まいや暮らしとしての意味をつくり続けられるようにと考えた。あらゆるものごとに意味や言葉を与え解釈し、世界を自分のものとしていきいきと住みこなしていく、そういった人の力に興味がある。

⑥ 想像の手ざわり　　　　　　　　　　　　　　　　　　　　　　　　　　　　　　　　　　　　石田雄琉＋房川修英

京都府舞鶴市で設計した2棟のホテル「SEW stay」は日本海へつながる伊佐津川に面していることから、周りの風景を強く意識した設計となった。本展示では、"建築単体では捉えきれない周りの風景を含めた体験"を写真や図面といった別のメディアで翻訳することに挑戦する。

⑦ 人間的な家　　田代夢々

いま私たちの住まう家のベースには一世紀以上前に提案された「住むための機械」があり、当時から意外と大きな発展を遂げていない。本展示は、次なる時代精神をあらわす"人間的な家"をめざして、いま当たり前に私たちの身の回りに存在するコンクリートの家を編集することで、新しい建築の原則を再発見する試みである。

under 35 architects | 石田雄琉＋房川修英 (いしだ たける + ふさかわ しゅうえい)
想像の手ざわり

『想像の手ざわり』

私たちが実際に「建築を経験する」とき、その前後には必ず周りの風景を見ているという当たり前のことに興味を持っています。本展示では京都府舞鶴市で設計した 2 棟のホテル「SEW stay」のプロジェクトを展示します。設計対象の建物を含む周辺の建物はおおよそ同時期の 1940 年代、人口密度の増加のために行政によって建設された経緯があり、本来つながっていた川と街の風景を分断しているように見えていました。敷地が日本海へつながる伊佐津川に面していることから、既存の外壁を全てガラスサッシに置き換え、入口の位置を変え、川と街を繋ぐ境界線となるような設計を目指しました。エントランスから部屋までのアプローチ、部屋からの眺め、風呂に入る時間、窓から入る風、揺れるカーテン、環境の静けさ…全ての身体的な体験が自然と街と身体を繋ぐ境界線となり、それぞれの体験によって空間の全体が作られるような感覚を覚えます。

本展示は、それらの建築の経験を"新しい経験"へと作り出すことを目指します。誤読やそれぞれの別の解釈を含みつつ、見る人たちが「想像する力」を持つことで建築の経験は、敷地境界線を超え、今ここで"新しい経験"へと変容します。

under 35 architects｜上田満盛＋大坪良樹（うえだ みつもり＋おおつぼ よしき）
大阪の街に開かれた建築をつくる

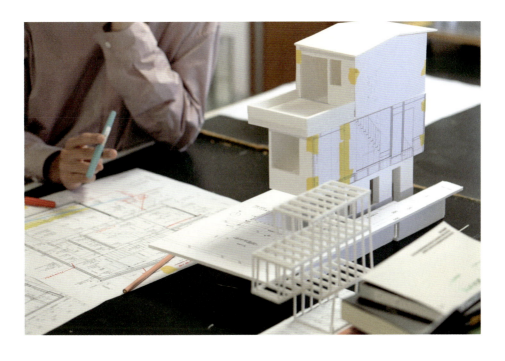

須田画廊の小さな建築展 / 00_田辺の視点 (2024) / Photo：yosuke ohtake

大阪の街に開かれた建築をつくる

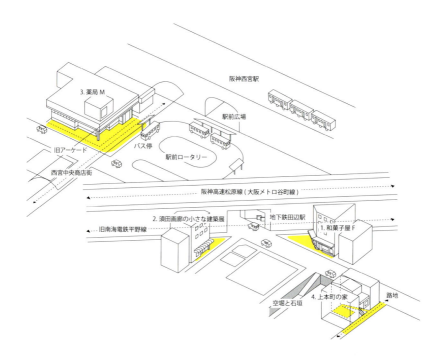

独立して大阪の岸和田に事務所を構えて 2 年近くが経ち、自分たちの仕事を振り返ってみると、それぞれの仕事にかすかに共通点が見えてきました。それは、どのプロジェクトも個人の所有する土地や民間の商業施設でありながら「誰でも立ち入ることのできる場所をつくる」ことでした。言い換えるなら「全ての建築が公共性をもちうる」と考えながら、設計活動をしてきたのだと思います。そして、それらの建築は全て大阪もしくは関西圏にあります。これは単に拠点から距離が近いということもありますが、大阪で生まれた 2 人が、大阪の土地や人柄・空間の捉え方に影響を受けながら、大阪らしい建築で街に応えようとしてきたのだと思います。

どんな建築にも誰でも立ち入ることのできる場所をつくること、歴史や街の文脈に接続すること、信頼のおけるスケールやマテリアルを拾い上げること、会話を重ねてオチのあるストーリーを形づくること。その繰り返しの先に、大阪らしい建築と街の風景が立ち上がると信じています。

Photo / 1-3：yosuke ohtake / 4：ueo 一級建築士事務所

1. 和菓子屋 F (2023)

大阪の地下鉄田辺駅前の和菓子屋の改修。建物の外周に長さ 10m 程のベンチを配置した。和菓子を食べる人、信号待ちや雨宿り、子供がのぼって遊んだりと、地域の人々の小さな拠り所となっている。

2. 須田画廊の小さな建築展 / 00_ 田辺の視点 (2024)

和菓子屋 F の近くにある小さな画廊で毎年行われる建築展。街との関係性をつくる手始めとして、事務所を移設して働くこととした。事務所の大机や進行中の仕事をきっかけに、街の人々と会話を重ねた。

3. 薬局 M (2025)

兵庫県の西宮駅前のドラッグストア。ファサードをセットバックさせて、深い軒下空間をつくっている。歩道を拡張しながら交差点の見通しを改善し、都市的な機能の向上にも小さく貢献している。

4. 上本町の家 (2026 竣工予定) / 共同設計：小谷勇太

大阪の上本町、入口に 1.4m ほどの小さな崖がある敷地に計画中の住宅。施主の友人を招く為の大きな空間が求められ、半地下は全て天井の高いホールとした。道路からホールへ、スロープでアクセスする。

under 35 architects | 上野辰太朗（うえの しんたろう）
階段のとなり

階段のとなり

神奈川県川崎市、元住吉駅から続くブレーメン通り沿いに建つ築 37 年のテナントビル。その 1・2 階をつなぐエスカレーターを、維持コスト削減のため階段へと架け替える計画を依頼された。敷地となるビルと、隣のビルの隙間にある幅 1.2m ほどの通路には、空のコンテナや鉢植えが無造作に置かれていて、その一帯はある建物の一部というより、まち全体に属する空間のように感じられた。

工事中に現場を訪れた際、敷地に着いたことに気づかず通り過ぎてしまい、仮囲いがされている異質な状態が、まちの持つ解像度と馴染んでいたことに驚かされた。そんな、多様な形態に溢れる雑多なまちと、建築の自律性が出会う場が作れないだろうかと考えながら設計を進めた。

機能——電力に頼らず 1 階から 2 階へと上がること——と、予算——「普通」に作るのに過不足ない—という、極めて素朴で曖昧な与件を手がかりに、かたちや色を選択していった。かたちは、既存のエスカレーター下の空間を囲っていた柵と、新設する階段の落下防止を一体とした構造体を中心に構成した。柱、フレーム、補強材、面材からなるこの構造体は、周辺から断絶することのないよう適度に分節し、ゆるさを持たせながらも、独立したオブジェクトのようにも見える境界を目指した。色は、階段が取り付く既存の床や壁の色との関係を丁寧に拾いつつも、まちの雑多さに前向きに参加するよう、新たな色も挿入した。

本展覧会では、既存の階段のとなりに現れたもう一つの階段を、模型、動画、写真を通じて展示する。明快なコンセプトや図式に導かれたというより、実際にオブジェクトを組み立てる上での現実的な選択肢のなかで思考を巡らせ、その結果として立ち上がった現実の一端を、大阪の地でも同様に立ち上げることができればと思っている。

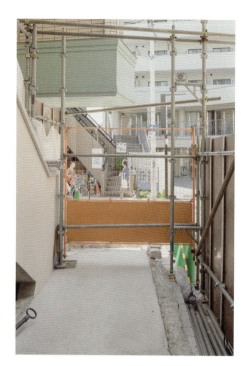

under 35 architects | 工藤希久枝＋工藤浩平（くどう きくえ＋くどう こうへい）
浜辺のような建築

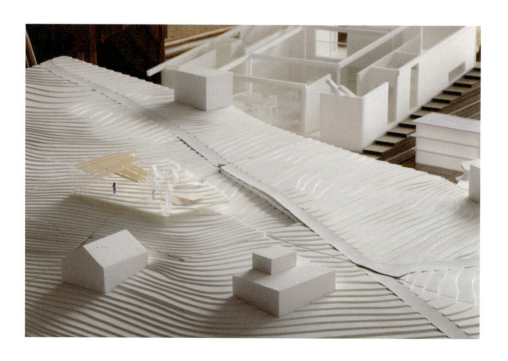

斜めの家

開放的で未完結な、動的で多様な、建築がそこに立ち、人や生活が息づく。そんな美しさに果てしない好奇心がある。
なだらかな起伏を前に好奇心は確信へ近づき、気まぐれな大地のひとつを足元に、この住宅は立つ。

穏やかな春陽のもとで、一家は今日、引越しをしている。ここに生活がはじまるのだ。
大地の動きを讃えながら舞う、いくつかのレベルの上で、人は立ち、斜めにそっと包みこまれて、生は育まれる。

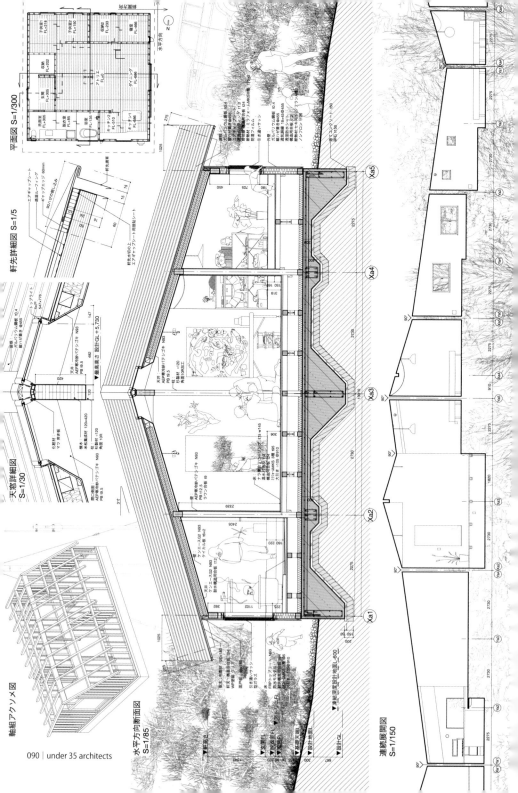

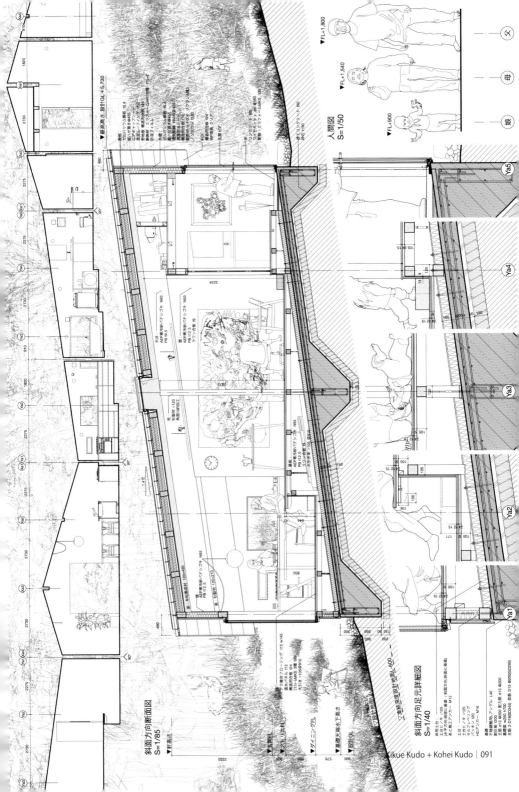

under 35 architects | 下田直彦（しもだ なおひこ）
シロクマハウス

言葉と物の間をいったりきたりしながら暮らしています。

わたしたちが世界を知覚するとき、言葉はどのようにはたらいているのか（はたらいていないのか）。
言語学・哲学・精神分析への興味から、ソシュール、老荘、ラカンなどを読みあさり、
言葉は世界を知覚する方法で、物は世界そのもののように感じました。

たまに日々の光景の現実感のなさについて考えます。
言葉を通してしか物を見られていないような気がする日々の暮らしの中で、
物そのものを見てみたい・触れてみたいと、どこか切実に思っています。
自分の手でいろいろな物をつくり続けているのも、そうした少し切実な好奇心によるものです。
どこまでが言葉が及ぶ領域で、どこからが物の領域なのか。
それらを探す中で、言葉と物の間にある豊かなあそびに気づきました。

シロクマハウスを計画しているときも、ずっと言葉と物を組み立てていました。

さまざまな文章やオブジェクトをつくりながら、
まずは〈予条件〉とよばれる言葉や数字を四角い真鍮のオブジェにしてみました。予条件は言葉
の及ばない物の領域に近づきました。次に〈リビング〉や〈ダイニング〉といった言葉を取り払って
空間を模索しました。空間は「明るく爽やかな空気感」「大きく背伸びをしたくなる空気感」「ほの
暗く落ち着いた空気感」など、〈空気感〉という言葉がかろうじて及ぶ状態に落ち着きました。

住人が住みはじめて間も無く、
外のグレーの壁は「美術館」、1階の窓周りは「図書館」と呼ばれはじめました。
住人はわたしの知らなかった新しい意味や言葉を教えてくれます。
そして今も住人が、この建てられた物と言葉との関係をつくりつづけています。

物をつくり同時に自身を形成する創造的活動を行う動物＝人
を「ホモ・ファーベル（工作する人）」というそうです。
そういう人であり続けたいと思いながら、
「建物」という物と「建築」という言葉の間のあそびに、人の豊かな創造力を見ています。

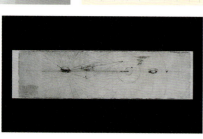

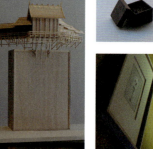

言葉や手仕事
論考/ダイアグラム/木彫/版画

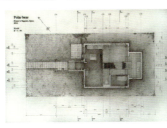

シロクマハウス
内観/ボリューム検討模型/検討模型/平面図

Naohiko Shimoda | 099

under 35 architects | 田代夢々（たしろ むむ）
人間的な家

人間的な家
— The Home like Man —

「近代が到来したときの大きな希望は、
無数の手をもつ機械によって
人間を解放するということであった。」[1]

現代の希望は、さまざまな機械と共生しつつ
人間の可能性を再発見することである。

未来をひらく新しい原則を呼び起こす、
生活にあそびをもたらす家が必要である。

だから私は、人間にとっての
「不可欠の歓び」[2] を見つめなおし、
そして、何よりも自分自身と向き合うための
"人間的な家" を提案したい。

	人間的建築の五つの要点、Les 5 points d'une architecture humaine				
太陽					
空間					
緑					
不可欠の歓び	五 自然の方程式 毎日の決まりきった物事や、成長がもたらす些細な変化を空間の中心に据えること。	四 個人と集団 機能に関わらず、瞑想と他者の気配を感じるふたつの場所を共存させること。	三 人間的尺度 ある場所の寸法を決定する際は、異なる場所同士が、どんな小さなものであっても人間の身体を基準にすること。	二 詩的な瞬間 異なる場所同士が、同じ時間を共有する仕組みをつくること。	一 虚構の天井 雨・風から守る物理的機能を求めるだけでなく、囲まれた場所に人間の意識へ働きかける意味を付与すること。

早稲田大学創造理工学部建築学科 古谷誠章・藤井由理研究室 2016年度卒業論文

人間とは、人間らしい暮らしとは、そして人間の住まう家とは、どのようなものでしょうか？
今さら古くさい問いだと、感じられる方もいるかもしれません。
しかし、いま私たちの住まう家のベースには一世紀以上前に提案された「住むための機械」[3] があり、当時から意外と大きな発展を遂げていません。ル・コルビュジエもおそらく想像していなかったであろう高度情報社会を生きる私たちにとって、人間の普遍的な資質と次なる時代の家を問うことはとても今日的な課題だと考えます。

ル・コルビュジエは「新しい建築の五つの要点」[4] を提唱した、近代建築の父とも呼ばれる建築家ですが、彼の描いたテキストやスケッチからは人間という存在そのものへの深い探究心を読み取ることができます。
もしもル・コルビュジエの思想の中に、彼が言語化しなかったもう一つの五原則を発見できたら、現代の建築観は全く異なる指標の上にあったかもしれません。

私のアトリエは、建坪十坪の鉄筋コンクリート造住宅の一室にあります。私が中学生のときに、父の友人である地元の職人さんが建設してくれた実家であり、「住宅の間取りと機能とを完全に独立させたもの、床と階段だけの骨組」[5] として、ル・コルビュジエが唱えた「ドム・イノ型住宅」[5] の延長にある構造物のひとつでもあります。

本展示は、次なる時代精神をあらわす "人間的な家 -The Home like Man- " をめざして、いま当たり前に私たちの身の回りに存在するコンクリートの家を編集することで、新しい建築の原則を再発見する試みです。

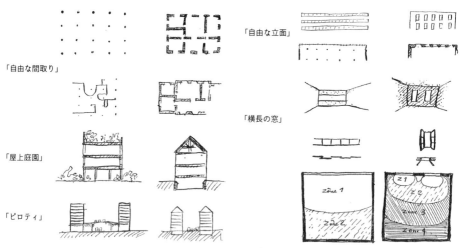

Fig.「新しい建築の五つの要点」[4] 1926年発表

*1 ル・コルビュジエ／F・ド・ピエールフウ著, 西澤信彌訳『人間の家』
鹿島出版会, 1977年 (1942年発表), p.56
*2 同上, p.109
*3 ル・コルビュジエ著, 吉阪隆正訳『建築をめざして』
鹿島出版会, 1967年 (1923年発表), p.182
*4 ル・コルビュジエ／ウィリ・ボジガー／オスカル・ストノロフ編,
吉阪隆正訳『ル・コルビュジエ全作品集〈第1巻〉』
ADA エディタトーキョー, 1979年 (1929年発表), p.114-115
*5 同上, p.15

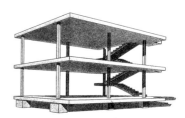

Fig.「ドム・イノ型住宅」[5] 1914年発表

under 35 architects | 成定由香沙（なりさだ ゆかさ）
引越しと改修

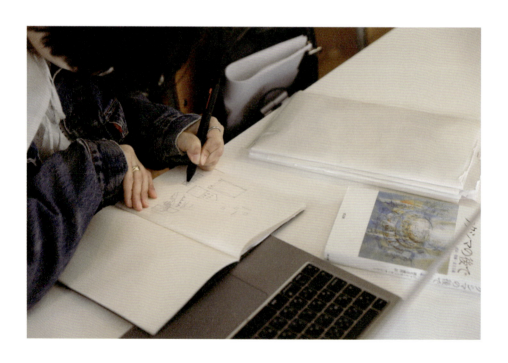

私がもっぱら気になっていたのは母が主とも言えるこの家に母の名前のつく部屋がないことだ。「父の書斎」「娘の部屋」「息子の部屋」はあれど、「母の部屋」はない。家の間取りの中で母が唯一意見したのはキッチンについてで、リビングとの接続はキッパリ絶たれたようにキッチンは隠され「誰にも会わずにキッチンに行けるように」設けられた廊下が存在する。昔は家中に「もの」が溢れ、母はたまにリビングのソファで寝ていた。そこで私は「母の家」と題して実家の"中"に母の家（＝個人部屋）を設計するプロジェクトを立ち上げた。

しかしある時から私の実家は母によってすっかりと物が整理され、母は「いつでも引越せるくらいに片付けている」と言った。今までみていた光景が棚の中に隠されているのかと思えばそうでなくて、棚の中さえからっぽだった。母が私たち家族に背を向けているような印象は全くないが、みたことのない行為を目の当たりにして、不思議な感覚を覚える。「愛着」の逆、歴史や慣れ親しんだ空間から「もの」を剥がしていくような行為。思えば家族皆、いまのこの家はどこへ行くにも遠く、家族の思い出以外、ここに住んでいる意味はない。私は母の行為を横目に新しい土地への引っ越しを想像する。

タイトルの「改修」を「Fixing」と訳したのは、改修を再び空間に自分を結びつける行為（attachment）とすることからきている。対して、「引越し」を意味する「Moving」は、「いつでも引っ越せるように」という母の姿勢／行為（≒detachment）から、実家との関係性を再解釈し、まったく新しい場所から空間を想像し直す行為として考えている。本プロジェクトは、フェミニズムから我が家：90年代の輸入住宅の「改修」を試みる世界線と、そこから逆転した、母の片付けから紐解く、母権的な「家」を再構成する「引越し」を考える世界線、2つの我が家族の行先を思考する。

interview | meets U-35

インタビュアー：倉方俊輔 × 藤本壮介 × 五十嵐淳

出展若手建築家：石田雄琉＋房川修英　上田満盛＋大坪良樹　上野辰太朗　工藤希久枝＋工藤浩平
　　　　　　　下田直彦　田代夢々　成定由香沙

meets U-35 | 117

倉方俊輔

倉方：それでは恒例の座談会を始めます。まず今年度審査委員長の藤本さんから皆さんに、聞いてみたいことや議論してみたいことなど、今年の展覧会に望むことについてお話しいただけますか。

藤本：はい。まずは皆さん、今日はお越しいただいてありがとうございます。先ほどエスキースで話をさせていただいて、改めて非常に楽しみになってきています。皆さんが様々な試みを行っていて、いろいろなスタンスで建築に取り組んでおられるのが面白いです。ここ数年は特に、建築への取り組み方、立ち位置が非常に多様になってきている気がします。これから実際の展覧会まで約半年ありますので、皆さんが何をやろうとしているのかを示してほしいと思います。それは、今こういうモノが完成しましたとか、プロジェクトをやっていますというだけではなく、その背景でいろいろなことを考えて進めていると思いますので、特に若い時は、まだスタイルが決まっているわけでもないし、やりたいことが明確になっているわけでもない。だからこそ本当にいろいろなことを考えていると思っています。まだ言葉やスタイル、建築にはなりきっていないけれど、考えの中に、既に皆さんの未来の芽があるわけです。それがこの出展をきっかけに少しでもよりはっきり見えてきたり、あるいはより育ってくると面白いなと思っています。先ほどお話ししていて気になったのは、社会性について若い世代はどういう風に考えているのかということです。これは我々上の世代の責任でもあるのかもし

れませんが、特に東日本大震災以降の社会情勢として、震災という大きな出来事があった後、人々のマインドセットや景気があまり上向かないような状況に対し、社会をわりと過剰にセンシティブに捉えることが必要だと言われてきた。本来建築とは、どれほど小さくて個人的な活動であっても社会的な活動だと思っているのですが、建築と離れた別のところに社会が存在していて建築は孤立してしまっており、そこを繋げなければいけないというような、謎のストーリーが絶えず広まってきているのではないかと改めて思いました。例えばせんだいデザインリーグ卒業設計日本一決定戦でもやはりそういうものが評価されています。普段の課題でもそういう議論が起こっているかもしれないし、建築家の議論の中でも、社会性という言葉を多用されている場面があります。今日の皆さんの話を聞いている中でも、やはり同様の懸念を覚え、それで大丈夫なのかなと感じました。社会のことを考えるのは非常に良いことですが、それが建築と切り離された状態で、無理にでも何かと繋げなければいけないとか、社会の風潮に合わせていかなければいけないと考えているのだとしたら、歪みが生まれてしまうのではないかと思うのです。それがもし若い世代の呪縛になってしまうとなると、これはなかなか大変だなと思います。もしかしたらこういうことを僕ら上の世代が勝手に考えているだけで、皆さんとしてはリアリティを持って社会と建築が接続している状態なのかもしれません。まずそのあたりについて、実際はどう考えておられるのか、正直なところを聞きたいです。建築は既に社会的な活動だから、そのまま好きにやればいいんだと言いたいわけではなくて、常に社会との関係を考えていかなければいけないという前提はその通りだと思っています。だから、自分自身もアップデートしたい思いもありますので、建築と社会、あるいは建築における社会性のようなものの捉え方に世代間で違いがあるのかを確認する意味でも、率直な意見をいただきたいです。

五十嵐：そもそも社会や環境という言葉自体が危険なんですよね。環境という言葉を使った途端に主体性がどこかに行って、どうにも扱いきれないものになるのが今の社会の風潮です。ですからきちんと自分事化した視点で語ってもらわないと、社会を語るにしても環境を語るにしても全然響いてこない。さらにそれで何をしようと思っているのかということを聞きたいのです。責任を持って実直につくって、自分の言葉で生き様を示し社会に対して伝染させていくんだ、というほどのメッセージが欲しい。こうすれば社会がもっと良くなるんだなと、我々に夢を見させて欲しいのです。今年こそは是非、我々には思いもよらなかったようなモノを見たいなと思っているのですが、いかがですか。毎年卒業設計やU-35で若手の作品を見ていますが、全くピンと来ない（笑）。とうとうこんなのがやってきたか！というモノをそろそろ見せて欲しいです。

一同：（笑）

大坪：最近の大手ドラッグストアをつくったのですが、おそらく一般的に言うと、そんなのは建築家の仕事ではないと思われてしまうと思います。ただ一方で、街にありふれた建物でもあるので、そういうモノに対しても建築家が携わり、少しでも良いものができることは非常に大事だと思っています。非常にシンプルに、軒をなるべく深く、天井を高くして明るくしたというだけの、そこまでインパクトのあるモノではないのですが。

藤本：謙遜しながら喋らなくてもいいのですよ（笑）。大したことはないんだと話しておられますが、ご自身は面白いと思っていることなのでしょう？しかも、僕は面白いと思いました。だから、そういうことを堂々と語る建築家が増えてくるといいと思うのです。今の世の中の風潮では、自分のつくったモノを名作です、と言ったらすごく怒られる（笑）。けれども僕は自画自賛する人が増える世の中の方が良いと思います。やはり、これほどすごいものができました、どうですかと嬉しそうに話す方がいいじゃないですか。くだらないものをつくったと自分で言っておいて、他の人からそれもいいんじゃないですかと言われるのを待ち構えているのは、冴えない（笑）。堂々と誇りを持って建物をつくり、そして堂々とすごいものができました、見てください、と言える世の中になった方がいいと思うのです。それも先ほどの社会性の話と同じで、自分がいいと思ってつくったものは、単に自分がいいと思

っているだけではなくて、我々は社会の役に立つと思ってやっているはずですよね。つくった側も見る側も同じ感覚を共有できるようにしたいなと思うのです。

田代：先ほどのエスキースと今のお話も含め、社会と向き合うことよりも、自分と向き合うことの方が実はずっと難しいのだと改めて気づかされたように感じています。我々の世代は、インターネットで検索すれば、いまどのような社会問題が起こっているのかを瞬時に把握でき、必要な情報を集めて社会が求める問題解決型の提案を行いやすい環境に置かれています。それに対して、周囲の情報に依存せず、自分自身を掘り下げ、自分の中から湧き出るものを自信を持って表現するということは非常に難しい。情報に溢れる社会で自分の言葉を見出しづらい状況だからこそ、私は U-35 という機会をしっかり自分自身と向き合う場にしていきたいと思っています。

石田雄琉

工藤（希）：藤本さん、五十嵐さんにエスキースをしていただいた際、この住宅をつくる前後に何を考えていたかを知りたいと言われました。それは、田代さんが仰ったような自分を掘り下げる作業の延長にあると思います。言語として伝える努力云々の前に、さまざまな状況下で竣工した

房川修英

住宅に対して、根本にどのような思考があったのかを言語化する事自体ができていないのかもしれないという点でハッとさせられました。一方で社会性について最近ハッとさせられたこともあります。建築家の伊藤暁さんと話した際に、建築はあらゆるところで社会との接点があると仰っていました。社会性についての言及に関して私はそのとき全然ピンと来なくて、それは SNS で発信するといったことかと聞いたところ、それもあるけれど、物価高騰にどう答えるか、クライアントとどう話をするか、敷地周辺との関係をどう考えるかとか、それも全部社会との接点だ、と。それまで自分の中で社会というものが漠然としすぎていてあまり意識することがなかった事に気付かされました。ただ、我々のように住宅のクライアントとしか話していないと、世間一般で語られる社会と対話している気分になれない部分もあります。我々の年代の建築家と名乗りたい人

たちが、どのように社会を捉えればいいのか、自分の課題だと感じていますので、皆さんの意見を聞きたいです。

工藤（浩）：僕は彼女が言ったことと少し違って、社会と話しているという気持ちでお施主さんと話していました。その施主は一社会であり、建築のスケールが大きくなれば、その対象となる社会はより広がります。関わる人たちには、きちんと説明してモノをつくる必要があると思っています。住宅なら住宅なりに、その社会に対して答えを模索してつくるべきだと。しかしながら、藤本さんが万博の話で対談をされているのを拝見したのですが、様々な批評が外側からある中で、大きいスケールの社会に対する言葉としては確かに内輪と感じてしまうような印象でした。ここ何十年か、建築の社会に対してのアプローチが、少なかったので、そのような反応が起きたのかなという気がしました。

藤本：確かに。万博の批判が多いのはやはり社会的な出来事になっているからで、非常に社会の只中に投げ込まれている感じがしました。ただ皆が賛成しないとやってはいけないとは思わなくて、例えば100％反対だと言われると少し困りますが、1889年万博のエッフェル塔も、賛成が1割程度、9割が反対していたと。そんな場面でも我々は誇りを持ってやることができるのか、やるべきではないのか。社会はその時代の感覚でとった多数決で決めていくだけだと、新しいものはなかなか変化は生れないはずです。ここは非常に難しいところですが、ただ説明は尽くしたいと考えています。しかしながら説明をすればわかってくれるというほど社会は甘くはない（笑）。今の住宅の話でも、お施主さんのためにつくっている中で、未来の我々の社会のために何かを提案している部分がありますよね。今後、こういう住み方をする可能性があるのではないか、こんな魅力が出てくるのではないかといった提案。ル・コルビュジエは当時、馬鹿じゃないかと言われながら、新しい時代の住宅はこうあるべきではないか、今の社会では理解されないかもしれないけれども、この先50年後には価値を持つかもしれない、あるいは価値を持つに違いない、と言って提案していた。しかしそうだと信じているのはその建築家だけかもしれないという状況も十分あり得ます。おそらく皆さんも、非常に魅力的で社会的な提案をしているのだと思います。ただ生きている間に評価されず、全くそれが理解されない場合もあるわけで、建築の持っている社会性は、非常に幅広くまた射程が長い。先ほどお話ししていた物価高騰についてもそうだし、たまたま工事現場の横で騒音にさらされる隣の家も社会の一部です。そういう意味では、あらゆる建築、建設、建築活動の中で、設計をしている時に使っている道具にしても、社会とインターフェースを持っているわけですよね。社会に対して自分が何を伝えたいのか。何を届けたいのか。それは理解されるように丁寧に説明するということなのか、理解はされないかもし

れないけれどもこれが僕は大事だと思っている、ということを表明することなのか。これは伝わらない可能性も大きいですが、コルビュジエのやったことは社会的に意味がないのかというとむしろ逆で、20世紀に我々の価値観の多くの部分をつくったとも言えるわけです。だから、そう単純ではないところが重要ではないかなという気はしますがいかがですか？

倉方：上野さんはベルリンで仕事をされていたので、日本に帰ってきてギャップを感じることもあったのではないでしょうか。建築界の外に社会があるのではなくて、社会の中の存在として建築家がいて、市民と共に良い場所をつくっているはずですが、日本では随分そういう状況になくて、そういうことを変えていきたいとインタビューで話されていました。それは藤本さんが仰っていたこととシンクロするのではないかと思います。

上野：そうですね。藤本さんが仰った、社会性がない建築というのはない、という捉え方には共感します。その反面、そこで語られる社会の解像度が結構モヤっとしている感じがあって、もう少しアップデートして解像度を高める必要があると思います。インタビューではうまく説明できなかったのですが、僕が今回やりたいことは、そういうものです。

上田満盛

大坪良樹

藤本：もう少し具体的に解像度がどういうものか教えてほしいです。先ほど五十嵐さんが言った、環境という言葉自体がある意味解像度が低く当事者性がないから、そこをもっと伝えた方がいいのではないかということですか？もし今の社会性の解像度を上げていくとしたら、どうすればいいでしょうか？

上野：例えば基本的な大前提として、世代間の分断のようなところにあまり同意していなくて、そういう状況を肯定的に捉えていないのです。それはものをつくるにしても建築をつくるにしても、基本的に世代というワードで分けることに抵抗感があります。例えば、後に続く人たちとどういう関係を築けるのかが、新たな社会性に繋がるものとして考える、価値あることだと思います。

藤本：社会性そのものについてはいかがですか。社会をどう捉えて解像度を上げるために例えば寄ってみるとか、あるいは具体的に見るとか、具体的にお聞きしたいです。

上野：僕もまだ正直、自分の目の前にある仕事で精一杯で、今回のこの機会は5年先、10年先、またその先を考えるための第一歩のような感じで捉えているのでまだ明確な答えがあるわけではないですが、今ある仕事だけで、社会に対して、社会との関係の中で価値のある新たな関係性をつくり出していくことは、結構厳しいなという感覚はあります。

藤本：そうなのですか？（笑）。もう少し自信を持って良いと思います。色使いをはじめとして不思議な魅力があるじゃないですか。あれで何をやろうとしているのか、非常に興味があります。社会に何を訴えかけるのかというより、何を面白いと思っているのか、それが我々の普段の生活、町の一角をどう考えていくことに繋がるのかを、非常に知りたいのですよ。僕はあのデザインは社会的な意義があるものだと思います。ただやってみた感じで、それとは別の社会性に興味がありますと言われると、少し困る（笑）。別の社会性に飛ぶ前に、まさに目の前にあるものをご自身

がどのようにつくりあげているのか。なぜそうしているのかを掘り下げることで、それが何を変えていくのか、あるいは何にこう貢献していくのかが見えてくると思います。そこを知りたいです。自信を持って言ってみてください。例えば何で色がついているのですか？

上野：何で色がついているかと言われると、こうだからこうですと明確に答えるのは結構難しいです（笑）。

藤本：でも、色がついていると面白いなと思ったんでしょう？

上野：そうですね。

藤本：そうだよね。何も考えないで色が勝手についたわけではない。何で面白いと思ったかを知りたいです。

上野：都市の景観のようなところですが・・・こういうことを言わなくてもいいのかもしれないですけれど、大文字の建築のようなところじゃなくて・・・（笑）。

藤本：大文字の建築を求めているわけじゃないんですよ（笑）。カウンセリングしているみたいになっちゃっていますが（笑）。

上野：建物の間の隙間に色の違う二つのメッシュがあり、その周りの見え方というのが結構変わってくるという、その小さな界隈に価値があるのではないかと考えました。

藤本：うん、なるほど。面白くなってきた（笑）。もう一つカラフルなファサードがあったではないですか。あれはどういう意識でしょうか？もう少し大きい対象ですよね。

上野：そうですね。あれは与件に応える中で出てきたものなのですが、僕はある程度ゆるさのある建築に興味がありつつ、まとまりのある美しいものも好きというアンビバレントな感じがあり、そのバランスの中でどう街との関係を結んでいくのかを考え、完全に独立したものではないけれども、ある種その街から切り離されているというものをつくりました。

上野辰太朗

藤本：非常に面白いではないですか。今の話がダイレクトに社会の話ですよね。上野さんの社会への意識そのものだと思います。それ以外のところに社会があるという話ではなく、今の都市の中に建築がどう立ち上がれるのか、それが我々の生活環境をつくるんだということに対する、非常に勇気のある提案ですよね。そのこと自体が建築家の活動であり、かつ社会への提案、社会への意識だと思います。今のは非常に解像度が高い社会の話でしたよ。ご自身ではあまり納得していないですか？

上野：そうですね（笑）。

五十嵐：なんか社会に対して真面目にふるまおうとしすぎているんじゃない？捉え方がややこしいような気がする。信念があれば、社会にどう見られてもいいじゃない（笑）。

藤本：上野さんの洗脳を解きたいですね（笑）。社会というものに自分は全然関わっていない、どこかにまだ見ぬ新たな社会というものがあるだろうけれど、そこまでは全然至っていない、と思っているのでしょう。しかし、ご自身が今やっていること、そのものが非常に社会性を持っていて、そこにこそ切り開かれるものがあると思います。上野さんが言う社会はもちろん正しい社会だけれども、実はある意味非常に大雑把な社会に対して、無意識に色を付け、何かをやろうとしていることの中にこそ、上野さんが考えている社会の課題、この先の可能性のようなものがリアルに宿っている気がします。そこが乖離しているように思えることで、呪縛になっているような、変な罪悪感があるのではないですか？

石田：僕は上野さんの普段のお仕事や展示内容を全部知っているわけではないのですが、先ほど仰っていた、隙間の話や小さくあることというのは、僕らの世代間では非常に高いリアリティで共有されている感覚だと思っています。社会的に、建築や文化にかけるお金が右肩下がりになっている中、僕らも将来的に大きい建築をつくりたいという憧れを持っていても、目の前には、空き家問題や経済状況、SNSの炎上の問題があるので、それをどう捉えたらいいのかということを考える方が忙しい。だから藤本さんがされているようなお仕事は憧れがある反面、僕らの仕事には不自由さを伴っている感じがします。例えば、新築ではなくすでにある空き家を改修すればい

いのではないかという、わかりやすさが目の前にあるからか、新しくつくることが正しくないという方向になってきていて、リアリティがなくてなかなか難しいのです。そこで私たちは小説を読んだり、写真を見たりする時のように、この場にいながら、全然違う世界に行く感覚に自由を感じていて、展示でも、違うメディアを通して自由を表現し、ほんの一瞬でも羽ばたくために、世界に旅立ちたいという欲望を表現しようと考えています。

倉方：今の話は、下田さんのお考えに結構近い気がしますが、いかがですか。

下田：はい、非常に興味のあるところです。先ほど上野さんが、世代で分断したくないと仰っていたのですが、僕は世代は非常に大事なところだと思っています。例えばその社会性がニアリーイコール公共性だった時代は1960-70年代。そこから時間が進むにつれて、人々のリアリティがだんだんと公共性から身体性に移ってきています。なのに、いわゆる公共性の意味での社会性という言葉をそのまま使い続けているために齟齬が起きているのではないかと思いました。僕が考える本来の社会性は遺伝子のようなものであり、文化にも遺伝子があると信じています。それをいかに存続させていくか、建築や文化をどう繋いでいくかという生存戦略として

工藤希久枝

工藤浩平

捉えているので、そのためにはとことん多様な遺伝子があった方がいいのではないかと思います。例えば僕が少し変わった遺伝子だとするならば、皆も全然違う遺伝子として多様化していくことで、建築を含めた文化全体が存続する可能性が高まるのではないかと。そういうことが今の社会性だと思っています。

藤本：いいね。斜め上から来た感じですよね。それはいつの時代もそういうものだと思いますか？もしくは現代だからこそ、よりそう思うのでしょうか？

下田：おそらく、いつの時代もシンプルな生存戦略として考える側面はあると思いますが、ポストモダニズム以前は大きな矢印の時代でした。でも今は全然違う。大きな物語がなくなったときに、そういう生存戦略がもっと効いてくるような気がします。

藤本：以前は、いろいろなことを考える人がいて、とりあえず社会性と言ったらこんなものだよねという共有ができていた、だけどだんだん共有できなくなってきてどれが本当の社会性なのか、拡散していっているから、自分が社会性だと考える遺伝子を試みているということですか？

下田：多様であればあるほど、生き残る可能性が高いはずです。

藤本：この文明の危機ともいうべきよくわからなくなっている状況だからこそ、それぞれが勝手にいろいろ試せるということですね、それはこれまた過激な（笑）、面白いです。

上田：下田さんのお話を聞いて思ったのは、社会性をきちんと自分の方に手繰り寄せているのが良いと思います。一般的に、社会性というものをなぜ第三者的に扱っているのだろうか、自分も社会の一部なのに、それがまるで他人事のように語られている気がします。やはり社会というの

は僕ら一人一人を含むものだと思うので、それを自分事としてどう変えていきたいか、どのような未来を描くのかを考えるのが僕らの仕事で、それを建築でどうつくっていきたいかをここでは表現したいと思っています。

藤本：ストリートに近い場所に事務所を移設したり、結構わかりやすい社会とのインターフェースをつくっていると言えますが、プロジェクトとして本当にやっているからすごいですよね。実際にやってみて、どうですか？

上田：社会とのインターフェースをつくるという意味では、街の方が今まで思いもよらなかった使い方を知り、実際に使ってもらえたりするのを見た時は、やって良かったなと思います。きちんと街の風景として残っていくことに非常に興味を感じているので、それが少しずつ規模感が広がっていき、大きな建築をつくることができたら社会性に繋げられるのかもしれないと思います。

五十嵐：その社会性はシェア率の話なのかな。だとすると、政治家のように資本主義を全開で受け入れている概念があるという話。それではつまらないですよね。確かにシェアされなかったら

寂しいし、わかってくれないのも寂しいけれど、バランスの取り方を考えるべきだと思う。音楽で例えると、売れる曲をつくろうと思ったら、今はリサーチと統計でつくれるわけでしょ。社会性はそのようにつくれるわけではないと思います。しかし結局シェア率は重要になってくるというわけですよね、この社会においては。そこからどう距離を取るのか、今どこに立っているのか、はたまたどこにも立たないで 5-70 年くらい生きていくんだ、というような目論見を表明してほしいのですが。

倉方：五十嵐さんの発言は、下田さんのおっしゃっていることに近いと感じます。社会性はミームのようなもので、シェアはそれほど高くなくても、この人がいたから次の A' が生まれることがあるということ。それはその人の生き様のように、言語では伝えきれないことでも、やり続けたことによって確実に次の遺伝子になっていくというお話でした。ただしそれが言葉でどこまで説明できるのか、どれだけ理解されるのか、というところで自分の考えと少し離れたところに社会があるような風潮になっているということです。上田さんの発言を単純に聞くと、つくったことで満足しているかのように、こうやっています、という表現をされていて、言語がずれてしまっている傾向があるのかもしれません。後ろ姿を見せようと論理化して自分が考えたことを言語化

すれば、伝播するでしょう。自分の意志で伝播させようという感じが欠けているのかもしれません。もちろんいいものをつくって、確かに街を変えたかもしれませんが、変えた部分の話だけしかしていない。建築は考えが論理化されて発表したりメディアに載ったりすることで、後ろ姿が強いものになっていくのではないか。建築は文化をつくっているから、そこのところの感覚があった方がいいのではないかと思います。

五十嵐：とは言っても、本当に多様化しているからどれにも価値があり可能性があるので、どこでどうなるかはわからないですよ（笑）。

倉方：（笑）成定さん、皆さんの発言を聞いて、いかがですか？

成定：上野さんがお話されていた社会性の解像度についてですが、建築を建てるにあたっていろいろな解像度を持っているべきだとは思うものの、大きくは長い間建築業界における社会性の解像度は変わっていないということを私も感じています。例えば芸術の界隈の中にいる人たちがイスラエルによるパレスチナ侵攻に対して声をあげているのに対して、建築の人たちはあまり政治的な問題と社会というものを自分の領域に結びつけている印象がありません。篠原一男さんの、住宅は建築の集中表現であるという言葉があります。これは住宅の設計競技でのコメントなのですが、建築家自身が持っているものを発露させて、住宅から発想し社会化させていくんだというところに共感しています。社会は単に自分の外側にあるのではなく、社会をつくる側と受け入れる側がいるのでもなく、自分自身の中にも周辺にも同じ縮図として社会があって必ず直接的に結びついているものだと思います。私は「若いうちは土壌をつくろう」と考え出版プロジェクトをやっているのですが、初回は有楽町号、次が根津号です。その時自分たちが何を考えていたのかを形にすることを目的として、出版と一緒に展示を行い地域の人と関わり合いながら、難しいことからシンプルなことまで、ある小さな輪をその時々に作って言葉にする活動です。小さくても自分が社会と関わることができたと実感した範囲を広げる目的と、解像度のばらつきがある建築というものの中からどのように社会と接続していくのかを探る目的の両軸があります。今回展示するプロジェクトは住宅の家族会議のような内容で、90年代の輸入住宅の改修の計画と、手放せないと考えている家からの引っ越しという、私の家族に起こっている二つの配慮それぞれに対して建築で提案しています。家の中での女性の立ち位置については90年代以降のフェミニズムの文化の中で何度も指摘されてきたことですが、まずその母親のための個人部屋をつくろうという計画から始まっています。住宅にとって最も長い時間を過ごす人から紐解いていこうとしているプ

下田直彦

ロジェクトです。

藤本：他にもプロジェクトを載せておられましたよね？展示計画以外に。学生の時の作品だったかな。

成定：はい。二つ学生の時の作品も載せました。一つは、当時は香港デモが激化していたのですが、支配経験のあるイギリスと中国それぞれに香港の記憶を継承する場所をつくるというもの、もう一つは修了制作で、アメリカにあるハンフォードサイトという、マンハッタン計画を経て計画された核施設群に対してアプローチする作品を手掛けました。

藤本：そうでした。結構ダイレクトに社会的なものと建築を扱ってきたと思うのです。家の話と繋がっていて面白いなと思います。家族の家が孕む社会性に対してかなり意識的に何かをつくろうとしている。そこに何が現れるかは、これからわかってくる感じなんですよね。社会的な問題を語るために、建築が使われているのだとすると少しもったいない。建築だからこそ、社会的な問題を語ったり解決することはある程度でき、新しい光を当てられると思うので、家だと、日々の生活を刷新できる可能性が見えてくると、面白いかもしれない。それでこそ建築と社会は別々のものではないよということが、プロジェクトを通して実感させられるのではないかと思います。

成定：それが直近の課題であり、目指すところとして考えています。

藤本：逆方向からのアプローチで考えるといいのかもしれないなと思いました。ところで夢々さんの卒業論文、コルビュジエの研究から繋がる今回の提案「人間的な家」は、他の皆さんとは一線を画す独自の立ち位置だったと思います。一方で前回の提案「顔のみえる建築」は、今話されていた社会的なるものとの折り合いがついている気がします。コルビュジエの話はそこからかなりジャンプしていて、それが面白い。今の時代にコルビュジエの研究をやって、今の時代ならではの原則的なものをつくり出すにあたって、夢々さんならではの生き様や価値観が反映されていたように思いました。人間的建築の五つの要点というのも、客観的に生まれた要点にはあまり見えなくて、むしろ価値を自分で定めたような、結構強い意志を感じました。それをさらに形にしようと提案している立場から皆さんの話を聞いて、どう感じましたか。

田代:そうですね。まさにいま議論に上がっているような問いをよく一人で悶々と考えます。そして考えれば考えるほど、自分が向き合うべき社会って何だったっけ?とわからなくなります。前回の提案書を作成していた最中には、社会に寄り添わなければという気持ちが強くて、結果として社会的に即効力があると受け取っていただけそうな活動を紹介する形式を選んでいました。ですが悶々と考えるなかで、先ほども申し上げた通り U-35 という場はきっと"自分自身と向き合うことを許された機会"なのだと思い至りました。ですので、社会的に即効力のある方向性ではなく、自分にしかできない発想はあるか、あるとしたらそれは何かをもう一度見つめ直して今回の提案にシフトしたのです。コルビュジエの研究を行なっていたのは 21 歳の頃で、ただ純粋に、そして前向きに、自分の興味に向き合っていたように思います。今日皆さんのお話を伺っていても、私自身 30 歳になった今、20 代前半の頃よりは頭の中や捉え方が複雑になってしまったような気がしていますが、純粋だった頃の問題意識から再出発してみるのはやはり大切だと改めて感じました。

藤本:下田さんの言うところの多様で、非常に尖った遺伝子ですよね。下田さんも上野さんも尖っている。多様性の時代とよく言われますけれども、文化遺伝子的にそういう時代に突入しているのでしょう。しかし下田さんの話はなかなか衝撃的でした(笑)。

倉方：藤本さんが選んだ方々だからだと思いますが、日常において実感していることが全て社会の一部なのだと、たとえ言語化できていなくても皆さんに共通しているなと感じました。例えばものを食べたり、服を着たりする行為と同じように建築があるように、環境につながる選択として、購入することやリサイクルすることも建築でも行われることです。先ほど下田さんが言われたことは、ポストモダニズムだと思います。公共から身体に飛びましたが、実は間にポストモダニズムがあって、それは社会が離れた自分と離れたところにある普遍的なものであるという理屈ではなく、今の自分の感覚こそが社会だということ。伊東豊雄さんはその代表でしょう。現代はまさにもう一度ポストモダニズムの時代が来ていると思っています。例えば建築だけではなく、ファッションやインテリアも含めて社会なんだという感覚は共通していると思いますが、これはある種、もう一度モダニズムに戻ったのですよね。2011年以降のいわゆる社会的正当性、普遍性を主張するような時代が本当に嫌だったのですが、ようやくそれを脱してポストモダニズムの時代に入ったと思うのです。

藤本：脱していけそうですかね。

倉方：もう確実に脱したと思いますよ。

藤本：今の話は面白いですが、90年代の後半から2000年代の前半は確実にポストモダンに移行したというよりは、そのあとどうしたらいいのか迷っているような時期があって、さっき身体って仰ったのは、そのあたりですよね。しかしこの身体なりを経たとして、日本だと東日本大震災を経た後のポストモダンというのは、以前の楽観的なポストモダンとは少し違うわけではないですか。皆さんはこの感覚はしっくりきますか？まだ葛藤があって、それほど開き直れているわけではないと思うのです。頑張って開き直ろうとしている下田さんのような方もいらっしゃるけれども、また葛藤しているのではないですか？その葛藤している感覚がどのようなものかを聞いてみたいです。そのことによって何かが開かれるかもしれません。

倉方：やはりポストモダニズム自体、日本ではきちんと理解されていないと感じます。ポストモダニズムは、身体的な行為です。ただ、前の理性の時代を引きずっているから、一方では非常に小難しいことを言って、衒学的に言う。皆そういう言い回しに気を取られているのかもしれません。自分の作風、見方やスタンスについて自信を持って話せるようになっていくために、今の若い時期は本当にがむしゃらにやって、その中で自分自身を見つけていくのが良いのでしょう。二

十代後半から三十代前半という今の段階であまりにも綺麗に自分のことを言語化できていたら既に完成していることになるのでしょうが、まだまだ迷いがあって、あれこれ考えながら成長されていく過程での発言や振る舞いですから、U-35 らしいなと思います。

五十嵐：まだ実作がない人も建築家ですと名乗っているわけですよね（笑）。でも U-35 展でがむしゃらに挑戦することは本当に、何らかのきっかけにはなるだろうから、大事に取り組んでほしいです。でも昨年がピークだった感じがしたような（笑）。

田代夢々

藤本：今年がピークなのではないですか？（笑）

五十嵐：今年はまた別のピークなのかなと思います。きっと面白いことをしてくれるのではないかなと。建築としても、システムとしてもね。

藤本：先ほどエスキースをしましたが、昨年は皆実直だったではないですか。今年はいい意味で、実直なだけではなく、無意識の野心のようなものが溢れていましたよね。

五十嵐：そう、ずるさが少しある（笑）。

藤本：（笑）僕はそれがいいなと。そういうのは失わないでほしいなと思いました。野心は別に個人的なものではなくて、社会をどうしていきたいというところを含めた野心ではないですか。未来にその遺伝子をどう残せるのかわからないけれども、何らかの形で生き残ってほしいというのも、一つの野心ですよね。皆さんにはそれぞれ、それぞれなりの野心があるなと思いました。先ほど石田さんが、現状に対して、現状結構厳しいと仰いました。ポジティブな逃避でもあるし、それを批判的に乗り越えようという意志なんだと思います。そういう意識があって何か模索をしているというのは、非常に面白い。単に社会がこうだからそれに寄り添わなければということではなく、やはり置かれた状況の厳しさも含めて、何とかしていきたい、別に社会を変えるんだという大それたことではなくても、隙間を縫って何かをつくり上げようとしている、あるいは何ら

かの価値をつくりだすことができないかと考えている、という話に聞こえて面白いなと。彼らなりのリアリティだなと思いました。

五十嵐：実際の展示を見て、何かに気がついた人たちが皆さんの信者になり、その人たちと新たな建築をつくっていけばいいと思います。来場者が100人いたとして、全ての人にわかってほしいわけではないでしょう？たった2人でも本当に響けばいいのですよ。

一同：（笑）

五十嵐：本当にわかる人が2人いたとしたら、それはすごいことだと思います。君らの仲間になってくということだから。それでいいのではないでしょうか？

藤本：そうだよね、本当に100人の内の2人、あるいは1人でもわかってくれれば、そこから未来の社会を切り開けるかもしれないですしね。

倉方：先ほど藤本さんが言われた、自分がつくったものをこれは良いと自分で言っていくという社会は僕も良いと思います。ただ日本には匿名性を良しとするような伝統的文化があるので、名前を出す職業である建築家が叩かれることもしばしばありますが（笑）。

藤本：（笑）そういうことなのですね。

倉方：先ほど田代さんがインタビューで、顔の見える関係として建築を語っておられました。それも野心のようなことだし、藤本さんが言っていることと、結構シンクロして

成定由香沙

いるという気がしました。五十嵐さんもそれを後押しされているわけで、建築家という個人がこれでいい、これがいいんだということを示し続けていくことは、何らかの影響力を持つことになり、確実に何かを変えていけると思いますし、その結果皆さんは自信をつけることになりますよね。

藤本：AIをはじめ今はいろいろ使えるものがあるにせよ、一番わけのわからないことができるのはやはり人間ですからね。

倉方：そうですね。ふた昔前のポストモダンをつくった安藤忠雄さんや伊東豊雄さん、基本的に所謂、今でいう平均値やコンプライアンス外のことをやってこられた方の要素とAIがくっつけば実は最強なのかもしれません。強烈な個性を持った自分自身と見つめあった時に、これが建築だとか、これはこういうことだと言える核さえあれば、あとのことは割と何とでもなるという世の中に急速になってきているなと感じます。

藤本：だから割と、ジェネリックなものは大体うまくつくられるようになっているのでしょうが、いくらジェネリックプールが充実しても、世の中的にはあまり面白くないわけです。昨年インドに行ってレクチャーをしたのですが、そこに知り合いのオランダの建築家が来ていて話をしていたところ、ヨーロッパ社会では今いろいろなものが最適化されて、社会システムにせよ、コンプライアンスにせよ、まだ課題はあるのですが大体いい感じになってきていると。しかし世の中が良くなったからといって、皆の満足度が上がっているかというと、実は下がってきていると。世の中が全て良くなってくると個々人はその先の希望を見出しづらくなるようです。大体世の中こ

藤本壮介

の先もこういうものだよね、と予測できてしまうからつまらないと感じる。予測を超えたことが起こる感じがどんどんなくなってきているということですよね。それが大きな問題になってきていると彼が言っていました。やはり建築をはじめとして、つくることでできることは、その先の希望をつくることではないかと彼が言ったのが非常に印象的でした。わけのわからないところから突然現れる何か、それは正解があるわけではないから無数の希望が現れるわけで、いくつかは大きな希望として見出せるかもしれないけれども、ほとんどは誰も見向きもしない何かで終わってしまうかもしれませんが、当然それでいいのです。でも、そういうことがあることによって、人間が生きるモチベーションが上がり、喜びをもって生きていけるのでしょう。先ほど遺伝子をどうやって残すかという話で、平均的に良さそうなものが生き残っていく世の中ではないというのが、逆に非常に面白い時代に入ってきているなという気がしています。しかも建築以外の物事が全部そういう感じで変化している。変化している時代ですから、今までの感覚では良かったことが、そうではなくなるかもしれない。だからまた新しいことを考えていかないといけない。この時代の状況と、希望を生み出したいという人間の根源的な欲求のようなものは、実は個々人でないと考えつかない何か不思議なもの、面白いものなのであり、何か発想が生まれた時に、価値を高めてくれるのだと思います。皆さんが、そういうものをつくり得るポテンシャルを持ってい

五十嵐淳

る。面白い時代になっているなと思います。

五十嵐：現代は、天国を目指しているような感じだね。実は天国は超つまらないんだけど。地獄の方がよほどわくわくするよね。

一同：ははは。

倉方：すべて解決されてしまった天国に魅力はない。でも地獄には希望があるかもしれないということですね（笑）。ほとんどの人はまだ悩んでいるということだから、この返答は是非シンポジウムの当日にお聞きしたいと思います。本日は皆さん、ありがとうございました。

一同：（拍手）

2025年4月4日

本展・展覧会会場（大阪駅・中央北口前　うめきたシップホール）にて

出展者説明会の様子

essay | AAF

'70 から '25 へ｜次の 55 年へ継ぐ記録として

　次の日本国際博覧会が大阪で開催される可能性が同じ周期であるとすれば 55 年後。本展の主催者である学生運営主体のノンプロフィット AAF で取り組む者たちへ、この記録を後進へ残す。

「未来への創造力を働かせる」

　「濃密な思考に直接触れることで、未来への創造力を働かせる」本展はそのような場である。まだ評が定まらない無名の若い建築家の作品を通して、建築界の第一線で活躍する建築家・史家たちの批評の過程を共有する。来賓としてお越しいただくこの国を率いておられる文化人から建築界の中高年の方々、また出展者と同世代の建築の技術者はもちろんのこと、全国で建築を学ぶ学生に至るまでの「生きる者たちが集まる」場としてシンポジウムがあることも、本展の特別な魅力のひとつだろう。学部 1 年 19 歳の時に本展に出会い、この得体の知れない特別な魅力に溢れる光を見たような感覚を持った時から 5 年の月日が流れた。本展を主催する AAF の活動に参加し、主要な 5 つの事業、建築学生ワークショップ（聖地での取り組み）、建築レクチュアシリーズ（217）、A レク（美術デザイン分野）、90minuts（世代間の批評会）、そして建築の展覧会（U-35）に取り組む機会をいただいてきた。この AAF で過ごした経験は、私の 24 年間の人生において最大の資産であると言える。私の人生は AAF そのものだと言っていい程、人生における価値観を変化させられた。当初は多くの建築家や実業家、宗教家や政治家に出会えたことのみを考えていたがそれだけではない。多様な取り組みを通じて、誠実に建築に向き合う手法や日常の過ごし方、また人生に対して強く真っ直ぐに、正しい影響を与えてくれるいくつもの体験が存在していた。

　ノンプロフィットで活動する AAF の運営に参加した当初であったにも関わらず、あるきっかけがあり、ただ参加するだけではなく何かの役割を得たい一心で立候補をしてしまった。それが AAF 三大事業の一つ、217 の司会進行であった。これまで学級長にもクラブのリーダーにも手を挙げたことがなく、大勢の人たちの前で責任ある立場になるなど考えたこともなかった者が、挑むチャンスを得ることになった。ここから全てが始まった。挑もうとする者を妨げない土壌が AAF にはある。できるできないの問題ではないというニュートラルなリベラルさが存在しながらも、開催本番になると当然自己責任となる厳しさを体験することになる。それまでの人生において最難関の課題に直面してしまったことにその時気がついたが、誰も向き合ってくれないというわけでは全くない。AAF での取り組みは自身が消極的になれば誰も追いかけてこないが、求めれば同じ方向を向き、一緒に寄り添い歩んでくれる先輩や仲間がいる。今振り返ると、経済性を獲得するために社会での活躍を求めるのではなく、自分がラディカルな社会に於いて、どこまでできるのか試したかったのだろう。そして自分

の存在意義を知りたいし、与えられるのでなく生み出したいと考えたのである。その場を進行することは、制限のあるタイムテーブルをシナリオで追いながらも、その会場の高揚感を高め、時には笑いや感動を深めながら空気感をデザインすることである。おそらく良くも悪くも聴講者の感情に影響していくのだろう。制限のある敷地に用途や機能のプログラムを与え設計する建築家と同じ、空気感をデザインし場を整える。建築はそれらを通して心地良さはもちろん、不快感でさえも与えてしまう力を持つ。これは場の進行と通じる部分がある。そしてここに登壇される建築家のお話は"人となり"が表現され、魅力に溢れている。日常においても人と話すこととは、人に寄り添い同じ方向を向いて進められる事柄が増えたり、気持ちよく楽しく共有するために大いに必要な人間の大切な能力である。それは専門職を生きたとしても、家族や社会、歴史や文化がある限り、人が生きていくために最も必要なことだと捉えていた。

「誰が話しても同じなら、シナリオをプログラミングした Siri にアナウンスさせるだろう。わざわざ学生に進行してもらう理由は、若々しさに存在する人間性、つまり個性を表す場だと考えているから。登壇者にも同じく個性が存在するように、進行者にもその人なりの個性が発揮される場であってほしい」と運営にアドバイスをくださる建築家の平沼先生から、厳しくも温かいお言葉をいただいた。この目標に向かい、初めての司会進行を実行するまでの期間、シナリオ（原稿）の暗記から始め、言葉を自分のものにしていくまで 3 か月。毎日 2 時間、本番の 1 週間前には、何時間も寝る間を惜しんでの練習、試行を行った。そして迎えた初の本番の日。何とか無事に終えることができたものの、自分らしさを欠いた、ただ暗記した文章を読んだだけの、全く満足のいく出来ではなかった。自分が考えていたほど現実は甘いものではなく、努力量と準備が足りていなかったのは明白であった。建築は発注者であるクライアントや設計者の一人よがりではなく、何よりも利用者に向けた設計をすべきであるがそれと同様に、人（聴講者）を想う親切心が足りていない自分に気づかされた。この失敗があったことで、この場にいる先生方や先輩たちのように希望や夢を後輩に語りたいと、その後幾度も舞台に立ち続けた。努力を続ける者に苦言を言わないのが AAF の特徴。藤本先生や平沼先生たちはいつもそれも面白がって見守ってくださった。ただいつまでも当初の状態では、ゲストとしてご登壇くださる建築家の方々や、聴講にお越しくださる方々に申し訳ない気持ちを抱えたままになる。自分の言葉として表現するにはどうすべきか。相手の心に訴えかける伝え方とは何か。進行状況を判断しシナリオをアレンジしなければならない場面や、会話を中断する際、相手に不快感を与えないためにどう伝えるべきか。回答が明確な問題を解くのは容易であるが、限られた時間内で様々な問題に対し、臨

機応変に対応しなければならない。回を重ねるたびに、自省を繰り返した。そしてようやく自分の練習の成果を納得のいく形で発揮できたと実感したのは、建築学生ワークショップ宮島 2022、千畳閣で行った、8月28日の公開プレゼンテーションの場であった。

厳島神社・大鳥居をはじめとする普段立ち入ることのできない厳粛な聖地に於いて、合宿による滞在・制作をし、地元・広島の方々を中心に全国から大勢の方々に支えられ開催をさせていただいた。これまでもこれからも、もうこのような機会はないだろうと厳島神社の神職の方が話された場で、唯一無二の体験に感謝を込めて、その思いがご来場くださる皆様に届くようにと、朝9時から夕方6時までの司会進行に全身全霊で取り組んだ。そして議論の場が終わった後、日本を代表される各聖地の宗教家の皆さまをはじめとする多くの方々から当日の進行に対し、身に余るほどのお褒めの言葉をいただいた。自分の言葉で、場の空気を読みとり相手に伝わる司会を務めることができたのだと、これまで応援を繰り返してくれた仲間への込み上げる感謝と心からやり切った思いに満ち溢れた。これがまた、たまらない瞬間である。そして、このことから目標を達成するために費やす努力には価値が生まれることを学んだ。するとその後も続ける練習時に、これまでと違う思考の変化を感じるようになっていった。

進行を時限的にデザインするだけではない、その場自体の質や次の機会に繋ぎ高めるためにはどうすべきなのか。つまり一つ一つの言葉を丁寧に理解し、相手の感情のスイッチと自身の感情を自然にアレンジさせられるようになりたいと思うようになっていった。それはタイムテーブルに沿うだけの進行ではなく、聴講者の表情や雰囲気を汲み取り、より本質的にその場を創り上げることに多角的に焦点が変化した瞬間であった。何故この変化が生じたのかを考えたとき、それまでに思考した様々な体験の蓄積量が自身の中で満ち溢れ、新しい視点で次のステージへ上がるスタートラインに立っているような感覚を覚えたのだ。建築とは、人が集まる場を設計する行為である。同様に、これらの経験を通じて一つの思考がより密な領域へと変化する瞬間を体感し、思考に段階が存在することを知覚したのである。このことは司会進行にとどまらず、これから設計するにせよ、経営するにせよ、あらゆる思考の領域に同じことが言えるのではないだろうかと連想できる、人生を決定づける非常に大きく大切な機会となった。

AAFは私に自分の根源的な性質を考えさせられるきっかけを与えてくれた場である。今までの生

き方さえも改めるきっかけとなった。自身の持つ性質を疑い、自分自身に目を背けたくなる時もあった。しかし AAF には自己利益の為に行動する者はおらず、他者の為に懸命に努力をしてもがき、乗り越えた先の楽しさを共有する仲間がいる。そして、自分の為ではないからこそ、今まで以上の力を出せるという経験をすることができるのだ。人生においてはいくつもの選択肢があり、様々な理由をつけて簡単に実現できる選択肢を選ぶこともできると思う。しかし困難な選択をしたときにこそ、自身の成長を体感できると AAF の活動を通じて学ぶことができた。またその成長を実感し、味わうことこそが人生における最上級の楽しさであることを知った。常に今の自分以上の能力を求められる環境に身を置き得た気づきは、私の今後の人生の指針となる大きな教訓になっている。

現代の日本では、社会の為に先陣を切る人を叩き落そうとする「出る杭は打たれる」といった良くない性質が表出しているのではないかと、万博開催前の世論の流れをみて不安を覚える。もちろん、肯定するサイレントマジョリティーが多くいることもまた理解している。しかし、私が 5 年間 U-35 を運営として見てきた景色は、努力するベクトルを自己利益に向けていない建築家の方々が正々堂々と社会の為に切磋琢磨される姿であった。またそこに妬みや憎しみはなく、ただ純粋に建築に向き合おうとする若手建築家と、楽しみながら建築の新しい可能性を見つけ出そうとする上世代の建築家の議論の場である。この方たちはただひたすらに興味に対して貪欲に、楽しんで努力をされている。その姿を見て単に憧れるだけではなく、他者の意見に左右されず自分自身で判断して人生を切り拓いていく大人になりたいと強く感じた。だから私は AAF という環境を通じて、現状の能力以上のことを求められる困難な選択をし、常に緊張感を持って努力して生きていくことを決意する。AAF で出会った憧れの諸先輩方の背中を追い続けると共に、社会のために行動をする同じ意思を持った AAF の仲間と一緒に成長していきたい。

AAF の副理事長である藤本先生が挑まれた日本国際博覧会、そして本展覧会では、社会の為に全力を尽くす大人たちの真っ直ぐな姿を見ることができる。ライフワークバランスが保たれ、叱ってもらえる機会が少なくなった現代社会において、私たち学生が身をおくべき環境はどこか、どのように生きるべきなのか。私が生き方の根源を覆されたように、本展覧会を通じて、私たちが生きる未来の為に自身が選択すべき生き方を考えるきっかけとなってほしい。

杉田美咲（大阪公立大学大学院 修士 2 年）

essay | AAF

相互的な補完関係

　大学に入学した年に、2023 年の U-35 の運営スタッフとして参加した。動機は単純で、大学外での活動をしてみたかったからだった。当時はざっくりと建築に関する職業に携わりたいと考えているだけで建築に関する知識も何もなく、右も左もわからないまま、ただイベントに関わるだけの気分で飛び込んだだけだったのだ。しかし実際の展覧会に参加してみると、来場者が出展作品を見て出展者と自由な解釈を語り合っていた。出展者とは、建築家を名乗り展覧会に自分の作品を発表しているいわば「先生」のような存在だと思っていたのだが、とても謙虚に様々な意見に耳を傾けていた。当時、大学で与えられた課題をこなし、専らカラオケやボーリングなどの遊びに興じていた私は無性に、大学に入学して約半年間一体何をしていたのだろうかと焦りを感じた。そこで自分が何をしたいのか、何をすべきなのか、主観など一切ない状態であったが、AAF の活動を始めてみることにした。何をするべきかわからなくても何もしないのではなく、とりあえず何かやってみるべきだと考えたからだ。一年が経ち、2024 年の U-35 で、ついに自身のやりたいことのかけらを見つけた気がした。

　それは、他者と価値観を分かち合いたいということ。とにかく様々な人達と価値観を共有し、意見を交換したいと思ったのだ。そのように感じるようになったきっかけは、U-35 を皆がどのように楽しんでいるのか気になり、会期中、様々な人の会話を伺ってみたことによる。彼らが話していた内容が特に画期的だったとか斬新だったということではない。展覧会やシンポジウムの内容を見聞きして、それぞれの解釈を語っているだけ。人はこれまでの経験から各々の解釈をするのだから、同じ作品を 100 人が見たら 100 通りの解釈が生まれるだろう。しかし今まで自分の経験を振り返ると、自身の解釈を押し殺し、統計データの最頻値をあたかも自分の解釈のように語ってきたことに気がついた。周りと異なれば非難されるため、間違いである可能性の低い最頻値を判断要素として利用してきた。SNS 上で目に入ってくるのは一方的な主張ばかりだと感じることがある。彼らからは会話をする意志が感じられない。現代の人々は互いの自由な解釈を交換できていると思っているかもしれないが、それはいわゆる「書き込み」をした人の意見だけを見ている可能性があり、発言していない人の意見を含む、多角的な視点から考えを構築する機会を失っているのではないかと思う。しかし U-35 という展覧会の場で出展者は作品を通して、来場者と会話をしており、来場者も出展者と共に、その場の空気を設計していた。その姿が非常に魅力的だと感じたのだ。そのようなことができる U-35、そしてその場を継続してつくり出している AAF の活動の場は、互いに成長しあえる素晴らしい場であるということに気がついたのだ。そして、自分がその環境に身を置き、意見を語り、その意見を多角的に見てもらうことで自身の課題を見出したいと考えた。U-35 に出会うまでは何をすればよいのか、何

がしたいのか、その答えの見つけ方さえわからなった。しかし意見を交換する楽しさがわかった今、次々と課題が見つかり、とても充実している。大学は一方的に知識を注がれる環境であり、知識を得る場としてはこれほど優れた場はないだろう。しかし、同じ授業を受けた者同士が集まるガラパゴス的な環境だと、人は受け身の思考に陥ってしまいがちになるのかもしれない。だからこそ、他大学や団体に所属している者たちとその垣根を越えて、たくさんの人々と意見を交換するべきだと思う。今年も U-35 で出会う出展者や来場者との出会いに期待している。

石田雄流＋房川修英

　彼らは写真を撮る、見るという行為を再解釈し設計への挑み方に結び付けている。写真は動画とは違い、動かないからこそ見る者に対して自由にその前後を発想する機会を与える。キャパシティーから逆算しその中で納まるものをつくらないといけないという現代だからこそ、敷地という非流動的なものから彼らがどのように表現を広げていくのか、展覧会で見せてもらいたい。

上田満盛＋大坪良樹

　多様性を肯定的に捉え、自分自身の身体のスケールや考えを多様性あふれる社会の一部として、社会性を自分事にしている。そのことによって彼らの計画は自身を第三者としてではなく、使用者と同じレベルから計画の全体に対してアクセスすることを可能にするだろう。

上野辰太朗
　社会性に関する解像度を上げていきたいという。日本で感じる乖離について、様々な試みを実践している。今の活動が社会性に対してどのように結びついていくのか。今は目の前の課題だけに対応していることで、一見場当たり的に見えるかもしれないが、行動と思考を重ねるという点ではそれが方法論となっている。エスキースから約半年間の試行を繰り返し、アジャイル方式によりどこまで解像度を上げられるのかが楽しみである。

工藤希久枝＋工藤浩平
　二人は住宅を設計する際に施主との内輪的な関係になってしまうと考える一方、建築の規模と社会性のレベルとのバランスの難しさに直面している。その課題にどのようにアプローチし、展示手法を発揮していくのか見てみたい。

下田直彦
　社会性の多様性を生物の生存戦略に例えて肯定的に捉えている。大きな物語が消え、それに代わる拠り所を探していたポストモダンの世代とは違い、それ以降に生まれた現在の under35 はそもそも仮の拠り所を必要としない。その点で私たち学生は、彼の思想をより高いレベルでリアリティーを持って共有することができるのではないか。

田代夢々
　社会的に求められていることに向き合うことよりも自分自身を表現することが難しいという言葉に、ハッとさせられた。社会という言葉は様々なスケールを内包する。それゆえ広範囲を見渡すと全てを見たつもりになってしまうが、それだけ細部をいい加減に見てしまう。社会を自分事としてみる手段として彼女がどのような提案をしてくれるのだろうか？

成定由香沙
　建築は社会から切り離されたものではなく、自分の内側にも社会があると語る。そこで住宅を通じて表現・共有していこうと考えている。建築やその他のプロジェクトの実践と並行して、出版や展示などの場づくりも行い、社会との接点を自ら広げている。グループ展での新しい表現に期待している。

あとがき

　幼い頃から疑問に思っていたことがある。小学生の頃、読書感想文を書くにあたり、クラス全員に過去の優秀作の一覧が掲載されたプリントが配られたことだ。自身の感想を考える前に、どのような感想を書けば読み手の共感を得られるのか、また評価され賞がもらえるのかを刷り込まれていたような感覚があった。たとえネガティブな感想が思い浮かんだとしても、無理やり共感してもらえそうな感想を書くことを良しとされているように感じたのだ。過去の優秀作を見て傾向をつかみ、このようなことを書けば賞がもらえるのではないかと、いわば自分の考えを捏造する。その行為を拒否した私の感想文は、独特ではなく間違いとして扱われ、その経験に違和感を感じていた。しかし、成長するにつれ次第にその記憶が薄れかけた大学一年の10月、U-35に訪れた際、衝撃が走った。それは、過去に感じていた違和感に対する明確な回答に出会えたからだ。出展者は、ただ純粋に私たちに問いかける。一般的な正しい回答ばかりを追いかけていた今までの私の生き方とは正反対だった。出展者は、模範的な回答を語るという一方的なものではなく、まるで来場者と会話をしている中で、自分自身が正しいと思う独自の回答を模索している姿であった。異なる意見を避けるのではなく、その意見も出展者の提案と相互的な補完関係にある。私はその様子を見て、自身にも問いかけ、それに対する様々な見解を聞くのが楽しくなった。U-35が私にその楽しさを教えてくれた。このような場を知らない人たちにもっと広がってほしいと心から思う。建築の講演会などを単純な勉強だと思っている学生がたくさんいる。たしかに知識を得ることもできるが、それだけではない。例えばU-35のシンポジウムでの議論。実際に展覧会場を訪れ、出展者の見解を聞いた上で行われる意見のぶつかり合いも楽しみの一つとなる。つくったものを発表して終わり、ではなく、建築はその地域に根差し、ずっと使われ続けるものだからこそ、互いにフィードバックを重ね、個性のある新しい価値観を形成していくのである。これだけでもこの開催に訪れる意義は十分にあると私は思う。

上山澄空（近畿大学3年）

essay | AAF

軽やかに切り拓く未来を目指して

　私のフットワークはたまに軽くなる！？
　…もともと腰が重く面倒くさがり屋だ。そんな私も小学生の頃は勉強が好きで、自然と身についていて楽しいと感じていた。でも中学生になると、いつの間にか授業についていけなくなった。知識を得る喜びを感じることもなく進級だけを意識するようになり、受験生になってもその考えは変わらず、課題や試験だけを要領よくこなすだけになっていった。知識を得る必要性は感じるものの学びが手につかず、そんな自分に嫌気がさして気分が落ち込んでいた中、合格者最低点で志望校にただ入学した。大学生になり希望の専門分野に関する授業が増えても、要領よくこなすという悪い習慣にまみれ、聞き流しては別のことをする毎日。真面目にならなきゃ、何かを得なきゃという危機感は持つものの、何をどうしたらよいかわからなくなり、同じ授業を受けている人たちも自分と同じような意欲を持たない姿勢の人ばかりに見えて、いつの間にかその中で安心してしまっている自分がいた。それでも環境を変化させて、自分の個性を見つけようと、少人数の選択授業を取ったことも、学科内のプロジェクトの運営スタッフをしたこともある。しかし、結局中途半端に関わって何も得ることなく時間を費やしただけ。手あたり次第、建築関連の展覧会や講演会に申し込んだり行ってみたりしていた時期もある。そのほとんどが何の身にもならずに終わっていた中で、AAFの活動を見つけた。変わらなくてはいけないという焦りと、大学の学科の知り合いとは違うことをしていたいという微かなプライドから、半ば衝動的にAAFの募集フォームから申し込んだのである。

　振り返ると、私のフットワークが軽くなるのは、いつも自分に対して焦った時だ。その焦りが功を奏して、思いがけずAAFに辿り着くことができた。とは言っても当初はAAFにいるだけで、自分は何かができているのだと満足してしまいそうだった。しかし活動の中で「今度こういう機会があるからやってみないか」と言っていただいたことがあった。入ったばかりの自分で大丈夫なのかと心配しながらも、実際に取り組んでみるとよりAAFの活動への理解が深まり、参加しているという実感を持つことができた。こうした経験から、AAFへの取り組み方はいくらでもあると気づき、それならば能動的に動いて責任を持てるような関わり方をしたいと考えるようになった。焦って飛び込んだこの場所で、さらにフットワークを軽くしながら確かな経験を得たい。そのために、まずは何事にも壁を設けず、軽くでも関わる意識を持ち、そこから理解や知識を深め、建築の表現や自分の生き方を位置づけたい。

　知識や技術の引き出しを増やしたいと思った時、ふとアカペラサークルに入った時のことを思い出

した。大学入学後、もともと音楽が好きで楽器もやっていたのだが、歌うことが一番好きだと気づいたことがきっかけでアカペラを始めた。アカペラのグループは、基本はメロディ1人、コーラス3人、ベース1人、パーカッション1人の計6人で構成され、声のみで一曲を完成させる。メンバーそれぞれが自分のパートに責任をもって務める意識が不足していると、演奏はばらばらになってしまう。グループを組んだのち「うまい人は自由だ」と感じるようになった。私のグループは、声質や発声方法の違いから調和が難しく、技術不足を声量でカバーするような、悪く言えばごまかすようなやり方をしている。一方で、上手いと評価され長く続いているグループを見ると、メンバーがそれぞれ練習を重ね、技術があるからこそ基本的な曲の完成度を高めることはもちろんのこと、演奏の途中で会場を盛りあげたり派手なステージングをしたりすることにも余念がない。スキルを持っている、表現の引き出しがある、ということは自由に繋がるのだと良い演奏を聴くたびに感じる。技術や方法を知っているだけではなく、それを自分のものにして初めて「自分ごと」として表現を尽くせる。建築も同じではないだろうか。少ない経験や拙い理解をひけらかし、ごまかしながら物事を進めても良いものは生まれないし、相手にもそのことが伝わってしまう。知識や技術、人間関係といった、持っているものを総合的に豊かにすることで土台を充実させ、それ以上のものを追求する。そうすることで表現が広がり、自由になるのだと思う。様々な経験を積み重ねることで自分のやりたいことの輪郭ははっきりし、自分の創るものの幅を広げる努力をし続けることが「自分ごと」としての表現に繋がるのだと気がついた。

石田雄琉＋房川修英

　現代美術や写真など、建築と異なる分野にも身を置く石田と房川。縫製工場が立ち上げた一棟貸しのホテルは、訪れた人にどう過ごすのかを委ね、穏やかな時間を提供する。風景と生活、産業をつなげるためにゆるやかに開かれた出展作≪SEW STAY≫。もっと自由になって世界へ旅立ちたいと語り、不自由の中から自由の隙を見つけようとする彼らが、制限された展示空間の中でどのような表現を尽くすのかに期待したい。

上田満盛＋大坪良樹

　それぞれの異なる経験や考え方を持ち寄り設計がしたいという彼らは、唯一の大阪からの出展者。歴史や文化から大阪の街を読み解き、さらに豊かにするために建築をつくる。建築が街の風景とし

て残り、設計者の意図しない使い方をされることも喜びだと語る姿が印象的な彼らは、生活に寄り添った建築について考えるきっかけを与えてくれるだろう。

上野辰太朗

　雑多さを解釈するという視点から、実在する街や建物の距離感を深掘りする。限られた条件のもとに建てられたにも関わらず、同一性がなく無秩序な建物と、その建物群を持つ都市。双方を考察し関係性を読み解くところに面白さがあると感じた。建築は社会と離れた場所にあるのではなく、社会の中に存在しているのだと示す展示をしてくれるのではないだろうか。

工藤希久枝＋工藤浩平

　建築のスケールに関わらず、クライアントと話すことが社会と対話することだと語り、社会に近づこうと模索する姿勢が感じられた。まずは自分を掘り下げて形にすることが必要だと語る彼らが、どのような展示で自身を表現するのか期待が高まる。

下田直彦

　暮らしを楽しむヒントが詰まった出展作≪シロクマハウス≫。あえて部屋に名前を付けず、光や色を使い分け、住まい手が自分なりの暮らし方を生み出し、意味づけをするような主体的な暮らしを提案する姿勢が興味深い。そして、多様化により文化の遺伝子が成長し建築が残っていく、つまり多様であるほど残りやすいと考える下田の独自の観点を本展で体感してみたい。

田代夢々

　自分と向き合うことの方が社会と向き合うことよりもさらに難しい、誰にでもできることではなく、自身を見つめなおす機会として、自分にしかできないことを本展でやらなければならないと語る。日頃から建築に向き合い、社会を考える田代が、自分の中から湧き出るものをどのように表現するのか注目したい。

成定由香沙

　歴史や社会を題材に扱い、建築・映像・写真を主な領域として表現する成定。最も家で過ごす時間が長い母親の部屋をつくることから始まった今回の出展作でも、歴史的な背景により多くの家庭

で母親の部屋がないという社会的な問題に、建築を介入させ焦点を定めた。社会性の解像度にばらつきがあると話す建築分野から、どう社会に接続していくのか、その視点を見てみたい。

あとがき

　昨年 U-35 の運営スタッフを 3 日間だけ経験した。そこには建築を生業とする方々がいて、彼らのプロジェクトを知ることができたのだが、大学の先生以外で建築に関わる人たちを見る初めての機会だった。自分が普段大学で学んでいる、実際には別のことをして聞き流していたような知識を、U-35 で出会った建築家たちは自分ごととして咀嚼し、プロジェクトに発展させていた。高校までの授業は「これを学んで将来どう役に立つのか？」と考えてしまってばかりで、その態度を大学生活にも引きずっていた。一方で、今、専門の先生に与えてもらう知識は現場に直結して活きるものばかりで、その知識は高校までの勉強が基盤になっている、ということに気づかされた。昨年の U-35 の展覧会会場で、五十嵐淳先生がある展示に対して「これが今年のゴールドメダルでしょう。自分ごとになっているから」と仰っていたことを思い出した。「建築の知識を自分ごとにして活かせるようにならなければいけない」と感じたその先にはさらに「いかにプロジェクトを自分ごととするか」というところに到達しようとする建築家の方々の姿があった。この U-35 で、ひとつの作品に対して出展者と上の世代の建築家とが異なる様々な解釈や見方を持っていること、それぞれが当たり前のように評価する基準を持っているのを目の当たりにし、議論できるほどの知識と尺度を持つ専門家たちに憧れを抱いた。次世代を担う若手建築家たちの思いを前に、受動的に見聞きするだけではなく、少しでも批評的な見方ができるようになりたい。そして、周囲の「自分ごとを追求する人たち」に囲まれることで刺激を受け、成長し、いつか今度は自分がその刺激を与える側になれたらと願う。

　表面上の体験を繰り返すのではなく、確固たる基礎を身につけ、物事をつくる裏側までを学びたい。U-35 の経験や AAF での活動を通して、ゼロからつくりあげる建築家の考え方や生き方を学ばせていただき、自分ならどうするか、という視点を持ち、常に自分ごととして受け止めながら、今後建築に関わる人間として未来を切り拓いていくことをここに誓う。

阪上ちひろ（大阪公立大学 2 年）

in addition　│　石井克典（いしい かつのり）
夢を持ち、失敗のままとせず、成功するまでやり切ること

1．寄稿にあたり

　今年で16回目を迎える歴史ある「35歳以下の若手建築家による建築の展覧会（2025）」へ寄稿することとなり、大変誇らしく、また感謝申し上げます。私たちダイキン工業株式会社は、売上高約4.7兆円、従業員数は約10万人、その内、海外人材が約9万人、世界170か国以上で販売、生産工場は世界に110か所以上を構え、2025年は創業101年目を迎え、次の100年を目指していくグローバル空調メーカーであります。ダイキンが標榜する「空気で答えを出す会社」を目指す中、「空気のデザインはどうあるべきか」をテーマに、建築家の皆さまと議論をするために、スポンサー企業として2022年から参画させていただき、2025年で4回目の参加となります。今回の寄稿にあたり、本展ギャラリーイベントとして開催している「空気のディスカッション」について、私たちが考えていることについてお話をさせていただきます。少しでも皆様のお役に立てればと思います。

2．空気には人の気持ちを安らかにも清々しさや感動を与える力がある

　今まで、私たちは空調機器メーカーとして、省エネ性が高い機器を提供することで、お客様の電気代削減に貢献し、さらに快適な環境を整えてまいりました。しかし、これから先の時代を見据えた時、空調機器に留まらず、私たちの事業を「空気」という大きな概念で捉え直し、「空気のデザインとはどうあるべきなのか」を考えていきたいと思いました。建築の設計は、一種、構造をデザインすることや素材で構成することで、空間に存在する空気の粒子を環境と共に設計する、ともいえると思います。建築においても、場所性に応じた外部環境との連続性や、部屋ごとの機能や用途により、空気の入れ替えや風の抜け、温熱による重力換気を行い、自然環境に応じた空気の設計を求められてきていると感じています。従って、今後の活躍が期待される35歳以下の若手建築家7組（U-35展2023年度出展者）から、「空気のデザインはどうあるべきか」をテーマにした議論を、ギャラリーイベントで実施しております。我々ダイキン工業の空気調和設備の知見を蓄えたエンジニアたちと共に、新たな価値を生む「空気の質」を議論し、実現性を視野においた温熱湿度をコントロールする「空調機の存在性」も含めたデザインを問う場を設けさせていただいております。たとえば、近未来の社会への実装に向けた「空気感」や「空気の質」をイノベーティブな視点で、どのように捉えていくのか、また、「空気設計の基点」とした「空調機の存在性」のデザイン提案など、様々な自由な、かつ柔軟な発想と実現可能な提案をお願いしています。

３．協創で創り出す新しい空気のデザインとは

　過去３回にわたり、若手建築家の皆さんには空気のデザインについて、真剣に検討していただき、本当に感謝しております。ありがとうございました。空調機を考える私たちの発想とは違い、建築家のみなさんからは、建築物、風景、空間、音、生命、人とのかかわり、空気の伝え方など、顧客視点での空気の体験にまで幅を拡げて提案をいただきました。また同時に、技術革新が進む空調設備や住空間に対する課題提起も多くいただきました。私たちは、社会課題解決とともに差別化技術の創造が重要だと考えておりますが、一方で、皆様からご提案いただいた、顧客に感動を与える顧客体験は、今後のコトづくりに向けた重要な切り口となると考えています。私たちは、これからも皆さまと一緒になって、新しい空気のデザインについて考え続け、協創を進めていきます。

４．U-35に期待すること

　私には36歳の時に描いた「馬鹿みたいな夢」があります。紆余曲折しながらも、その夢・ありたい姿だけを見つめてきました。しかし、その夢は一人だけで叶えられるものではなく、誰かの思いも背負い、だからこそ、その思いが原動力となって、自分自身を突き動かしてきました。みなさんにとっても、一人ひとりの夢への扉を開く鍵が、まさに、このU-35だと思います。だからこそ、私たちは2025年も若手建築家のみなさんを応援させていただき、世の中を変えていくことに挑戦します。一緒に盛り上げていきましょう。

ダイキン工業株式会社　執行役員　空調営業本部長　石井克典

in addition　｜尾植正順（おうえ まさなお）
若手建築家のみなさんへ

　「35歳以下の若手建築家へのメッセージ」と題して執筆依頼がありお受けした次第ですので、大阪市の住宅・建築行政に携わる者としてお話しするのが何よりですが、この立場は2024年度からの1年生ということもあり、今回はこれまでの経験等をもって代えさせていただきます。モノづくりという点で相通ずるものがあると思います。

　私がまず思い浮かべるのは田辺朔郎氏（1861－1944）です。私事ですが、学生時代、「われは湖の子さすらひの」で始まる周航歌で著名な琵琶湖は浜大津に艇庫があって、面前の船溜まりは琵琶湖疏水の取水口に至るロケーション、ここを根城に部活に明け暮れた日々。籍を置く土木教室で疏水の話を耳にしないわけはなく、「あれが疏水の入口か」と納得したものでした。一般に琵琶湖疏水で馴染み深いのは京都市蹴上の「南禅寺水路閣」ではないでしょうか。明治開化期、衰退していった京都を近代産業都市へ復興させようと、水車による動力のほか水運等への活用を目的に、時の京都府知事が命運をかけて取り組んだと今に伝わるこの国家的プロジェクトを、U-35の田辺氏がキーマンとなり進めたとのこと。同氏の銅像が蹴上の地にあり、その姿は学内にある他の銅像に比べ断トツに若い！どこからどう見ても若すぎると感じ入ったものでした。この一事をもって若年時代から活躍されたということなのでしょう。資料によると、「田辺朔郎は琵琶湖疏水事業の主任技術者として工事に携わった。工部大学校在学中に卒論として『琵琶湖疏水工事計画』をテーマに決め、現地調査の際に利き手である右手を負傷し左手でレポート及び図面を描き上げた。京都府知事に抜擢され、1883年、卒業と同時に府に御用掛として採用された。土木史に残る琵琶湖疏水は、田辺のリーダーシップの下、事業を具現化する優秀な技術者や技能者の共同作業によって完成した。（以上、2014/JSCE/DOBOKU-COLLECTION-HANDS＋EYESから引用・一部改変）」とのこと。

　この偉業に照らし自身を顧みれば、図学教室の演習では頭をどう捻っても描けない線があった記憶があり、時代は下ってアラ35には埼玉や広島等で駐車場を活用した交通施策の実現に取り組みここで大いに挫折を味わい、大阪では区画整理や街路事業をはじめ道路の整備と維持管理に携わってきました。これらから学んだことは、先の引用文も「共同作業によって完成」で結ばれているように、疏水であれ建築物であれ建設プロジェクトというものは、企画・計画にはじまり設計・施工それこそ後々の維

持管理も含め、多くの関係者の尽力があってはじめて成り立つものだというこの1点です。これは学生当時の私には思いもよらなかったことなのですが、一人のスーパーマンも、多くの支援者や協力者に陰に陽に支えられてこそ大きな仕事を成し得るのだと思います。今やU-60、後世に残せるような自身のプロダクトはなく、まさに「少年老い易く学成り難し」、現場仕事をすることもなくなりましたが、地図に残る仕事を！とこの間取り組んできたところ。

さて、この世界には様々なプロフェッショナルがいらっしゃいますが、プロそのもののあざやかな手さばきについ見惚れ、思考の冴えに唸らされてしまいますよね。一方、こうした方がされていることの中には、私などには到底理解の及ばないところもあるものです。先達に学ぶこと、見る、聞く、触れる、とても大事なことですし、インスピレーションを受けたり勇気づけられたり、得られるものは計り知れないと思います。みなさん、五感（味と嗅は!?）をフル稼働させ自身へのエナジー充填をお忘れなく。

最後に、2025年はいよいよ大阪・関西万博の年です。前職は万博担当でしたのでドバイEXPOへも足を運びました。オイルマネーの成せる業というやっかみ感想を差し引いても迫力満点ですばらしかった。負けてはいられないと気持ちを新たにしたものです。ドバイは現地で主要建築物を含む会場施設を再利用する計画とお聞きしたように思います。大阪では万博の理念を継承・発展させ夢洲第2期区域の開発として新たなまちが誕生していくことでしょう。これからの大阪のまちづくりにもぜひ興味をもってご参画いただけたらありがたく思います。

「青は之を藍より取りて藍より青し」、みなさんのますますの飛躍・活躍に期待しています！

大阪市　都市整備局長　尾植正順

in addition ｜佐野洋志（さのひろし）
うめきたの風景

　大阪に赴任して2年が経とうとしている。その間に、グランフロント大阪の10周年、グラングリーン大阪の開業と、変化するうめきたに身を置けたことを幸せに感じている。また、大阪の街は非常にエネルギーに満ちており、駅・エリア毎に異なるカラーを持つ密度の高い文化があることを実感する。首都圏でずっと暮らしてきた私にとって、期間はごく短いものの第二の故郷のように思い始めている。

　Under35 Architects Exhibitionには昨年初めて参加させていただいた。出展者である若手建築家の熱量はもちろんのこと、これを見に訪れる会場内の若者たちの熱気、まなざしに触れ、このExhibitionの意義深さを認識した。これも、10余年にわたりExhibitionを支え、運営されてきた平沼先生をはじめとした皆さまのご尽力、そしてその蓄積によるものと感じ入った。

　出向元である三菱地所では、長年まちづくりに携わらせていただいてきた。大阪に赴任する前は東京・丸の内を「イノベーションがわき起こる街、"イノベーションフィールド"にしていく」というミッションに7年ほど身を置いていた。この間、多くの大企業の新事業担当者、ベンチャー企業経営者、ベンチャーキャピタリストや大学関係者の皆さまと交流をさせていただいたが、彼らが街を舞台に活動すること、それを通じて街の色彩が変化することを実感していた。街にどのようなプレイヤーを呼び込むかは、街の運営における鍵になると思っている。

　さて、私のU-35時代に話を移したい。私は横浜生まれの横浜育ちだが、幸せなことに横浜に二度赴任し、計13年間と社会人として多くの時間を横浜・みなとみらいの開発・運営に携わらせてもらった。最初の赴任は1992年。横浜ランドマークタワーの開業1年前になる。その後、隣接する1997年のクイーンズスクエア横浜の開業を経て1999年までを過ごした。駆け出しの社会人であった私にとって、この頃の業務の記憶・経験は正に「三つ子の魂」と言えるほど密度が濃く、記憶に深く刻まれたものになる。この間にランドマークタワーを頂点に、隣接するクイーンズスクエアの3棟の高層棟によって横浜港に向かってなだらかに下降するスカイライン、みなとみらい、横浜を象徴する風景が形成されたことになる。

建築は人々に働き、住み、憩う場を提供するとともに、街の風景を形づくる。みなとみらいの街並みができる以前、横浜の人間にとって街をイメージする象徴的な風景と言えば、山下公園とマリンタワーであった。ランドマークタワーが開業した際、「10年、20年を経て、多くのお客様がこの街で様々な過ごし方をされ、横浜の人間が自分の街の風景を思い描く時に最初に思い起こす、原風景のような建物になって欲しい」と思ったものだが、今に至り、正にその通りになっていると思う。

　うめきたの街は、グランフロント大阪が昨年10周年を迎え、今年はグラングリーン大阪が先行まち開きをした。グラングリーンはうめきたに「公園」という新たな過ごし方を提供し、うめきたの街に新たな来街者を呼んでくれている。この街はまだ成長途上にあるが、多様なお客様に様々な目的で訪れていただく仕掛けはできている。これからのオペレーションを通じて、10年、20年と経ち、大阪の街に溶け込み、人々の原風景となっていくことを楽しみにしている。

一般社団法人 グランフロント大阪TMO　プロモーション部長　佐野洋志

archive

2024年開催 展覧会場初日 (2024.10.18)

archive

2024年出展者の皆様 (2024.10.18)

2024年開催 展覧会の様子 (2024.10.19)

2024年開催 シンポジウムIの様子（2024.10.19）

U-35 2024 Gold Medal 賞：小田切駿＋瀬尾憲司＋渡辺瑞帆

archive

2024年開催 シンポジウムⅡ 伊東豊雄さんご講演の様子 (2024.10.26)

2024年開催 シンポジウムⅡの様子 (2024.10.26)

U-35 2024 伊東賞：山田貴仁＋犬童伸浩

【過去の出展者】

2010年	大西麻貴　大室佑介　岡部修三　西山広志＋奥平桂子　藤田雄介　増田信吾＋大坪克亘　米澤隆
2011年	大西麻貴　海法圭　加藤比呂史＋ヴィクトリア・ディーマー　金野千恵　瀬戸口洋哉ドミニク　増田信吾＋大坪克亘　米澤隆
2012年	能作文徳＋能作淳平　久保秀朗　関野らん　小松一平　米澤隆　増田信吾＋大坪克亘　海法圭
2013年	岩瀬諒子　植美雪　小松一平　杉山幸一郎　塚越智之
2014年	長谷川欣則　細海拓也　植村遥　魚谷剛紀　伊藤友紀　高栄智史　山上弘＋岩田知洋
2015年	植村遥　岡田翔太郎　金田泰裕　北村直也　佐藤研也　高濱史子
2016年	川嶋洋平　小引寛也＋石川典貴　酒井亮憲　竹鼻良文　前嶋章太郎　松本光索
2017年	齋藤隆太郎　酒井亮憲　千種成顕　野中あつみ＋三谷裕樹　前嶋章太郎　三井嶺　安田智紀
2018年	京谷友也　高杉真由＋ヨハネス・ベリー　彌田徹＋辻琢磨＋橋本健史　冨永美保　中川エリカ　服部大祐＋スティーブン・シェンク　三井嶺
2019年	秋吉浩気　伊東維　柿木佑介＋廣岡周平　佐藤研吾　高田一正＋八木祐理子　津川恵理　百枝優
2020年	秋吉浩気　神谷勇机＋石川翔一　葛島隆之　山道拓人＋千葉元生＋西川日満里　松井さやか　山田紗子　和田徹
2021年	板坂留五　榮家志保　鈴木岳彦　奈良祐希　西原将　畠山鉄生＋吉野太基　宮城島崇人
2022年	奥本卓也　甲斐貴大　Aleksandra Kovaleva＋佐藤敬　佐々木慧　西倉美祝　森恵吾＋張婕　山田健太朗
2023年	大島碧＋小松大祐　大野宏　小田切駿＋瀬尾憲司＋渡辺瑞帆　Aleksandra Kovaleva＋佐藤敬　佐々木慧　福留愛　桝永絵理子
2024年	石村大輔＋根市拓　井上岳　小田切駿＋瀬尾憲司＋渡辺瑞帆　加藤麻帆＋物井由香　Aleksandra Kovaleva＋佐藤敬　守谷僚泰＋池田美月　山田貴仁＋犬童伸浩

special interview ｜ 永山祐子（ながやま ゆうこ）

インタビュア：平沼孝啓（ひらぬま こうき）

―― 2007 年頃から若手建築家の作品や考え方、活動を知る機会とされていた建築雑誌 SD や建築文化等の休刊が相次いだ中、2010 年リアルな発表と議論の場を設けようと開催をはじめた U-30 は、「出展者が数年後、審査を引き継ぎ、世代間で継いでいくような建築家への登竜門的な発掘の取り組みにする」と、オーガナイザーを務める平沼孝啓が考察していたが、3 度目の開催を迎えた 2012 年のシンポジウムで「この建築展は、我らこの世代が生きている限り、時代の変化と共に率いていく」と藤本壮介が発言したことから、順に審査を受け持つ現在の形となる。

　2022 年から参加し、シンポジウムの議論の場で、他の建築家とは違う新鮮な視点で放つ適格なクリティークを行い、毎年入れ替わる展示構成の様子や出展作の表現方法について、若手建築家側からの意見を厳しくも救いあげる姿勢で講評する永山は、本展には欠かせない唯一無二の存在となっている。節目となる 15 度目の開催となった本展で審査委員長を務めた永山が、シンポジウムで GOLD MEDAL 授賞者選定を終えた翌日、あらためて建築展のあり方に対してどのようなことを思い、どのような方向へ導くことを望んでいるのかを、平沼孝啓が聞き手となり対談方式で考察する。また後半には、GOLD MEDAL 授賞者を交えて「これまでの建築」と「これからの建築」について近年、感じていることや、これから U-35 の出展を目指す者たちや建築を志す者へたちへのメッセージを収録する。

永山祐子（ながやま ゆうこ）建築家
1975 年東京生まれ。昭和女子大学卒業後、青木淳建築計画事務所勤務。02 年永山祐子建築設計設立。AR Awards(UK) 優秀賞、Architectural Record Design Vanguard (USA) など国内外で多くの賞を受賞している。

平沼孝啓（ひらぬま こうき）建築家
1971 年大阪生まれ。ロンドンの AA スクールで建築を学び 99 年平沼孝啓建築研究所設立。08 年「東京大学くうかん実験棟」でグランドデザイン国際建築賞、18 年「建築の展覧会」で日本建築学会教育賞など多数を受賞。

平沼：昨日のシンポジウム、そして U-35 2024 の審査委員長として 1 年間、本当にお疲れ様でした！大変だったでしょう。

永山：大変でしたね！（笑）わからないことも多く不慣れなことも重なり・・・ですが平沼さんの熱意が凄いと思いました。十数年に渡るこれほどの期間、4 月の出展者説明会からやり取りを重ねられていくというのは本当に凄いことです。私はというと、少しはお役に立てたかな…という程度です（笑）。

平沼：いやいや（笑）、永山さんには前年の出展者説明会からお越しいただけて、これまでの経緯を含めて様子を見てもらいながらご併走いただきました。

永山：そうですね。丁寧なご説明と様子は見せていただいたので流れは理解していたのですが、選出からディレクションまで悩みました（笑）。

平沼：審査時は随分迷われていましたが（笑）、本当に今年の永山ディレクションの展示は凄かったですね。

永山：いや〜（笑）、そこがとても難しかったです。当初の選出から辞退された方がおられたことで布陣が変わったのですが、結果的には良いバランスだったように思います。

平沼：そうですね。展覧会初日に展示を見て、凄い！と驚かされました。モリモリ感がありましたね（笑）。

永山：皆が頑張ったのだと思います。短期間でのエスキースだけではなかなか伝えられなかったこともあり、もう少し、いや、もっと皆にいろいろ言ってあげたかったです。井上岳さんとは、設営されていた時に少し話をしました。やはり若いときの展覧会というのはステップアップのきっかけを得られたり、その時に考えていたことの記録になったりするものですし、使ったものを単にゴミにせず、もう一度、また再度使ってほしいと思います。皆もそれぞれ持ち帰って何かやるといっておられて、モビリティとして考えているという話も出ていました。studio anettai は自分たちの資材を使っていましたので、そのまま使えると思います。

平沼：昨晩の余韻が冷めない翌朝に、こうやって毎年の審査委員長を務められた建築家・史家へインタビューを行い、来年の出展者や、今後 U-35 に挑もうとする若手に向けて記録を残そうと、6 年前の 2018 年、平田さんの呼びかけから春と秋に対談をしてきました。今日はシンポジウム時の議論について、また展示についてをお聞かせいただきたいと思います。まずは、昨晩の出展者の発表とシンポジウムでの審議についての真相を、石村さん、根市さんから順にお聞かせください。僕は、石村さんの質疑応答での切実さに対して少しグッと来て彼の人柄に引き込まれたのですが（笑）、永山さんはどのように感じておられましたか。

永山：わかります（笑）。昨日は皆さんに良い意味で"スパイ感がある"という言い方をしましたが、やはり傾向として、若い時はなかなか自分で大きな仕事を得にくいので、まずどういうところにポジションを置きながら仕事に繋げていくのかを考えるところが大事だと思うのです。将来的には大きな仕事をしたいと思っていても、どこから始めるのかを考えた時に、その居場所として彼らの場合は電気会社の中で見つけた。そこで、そこに戻ってくるものなどを通して循環が見えてきて、何かを掴み始めているところなのだと思います。そこから街の中とどのように連携し、ものづくりをどう発想していくのかを素直に吸収しながら、自分たちの活動範囲を広げていこうとしている。ネットワークも徐々にできつつあり、あの街だからこそできるというポテンシャルも拾いながらやっているという、とても真摯で誠実な活動ですよね。とても応援したくなりました。

平沼：本当にそうですよね。千住地域に職人さんがたくさん居るということを知っていく、そ

の過程も素晴らしい。

永山：そう、実は私たちが設計する万博のパビリオンの電気の分電盤もそこでつくっているのですよ。ものの流通の、割と源流近くにいるということが彼らに影響を与えていくだろうし、今がとても良い吸収時期なのだと思います。やり続けていくと、これからもっと発展していくでしょうね。

平沼：では次にGROUPの井上さん。

永山：少しまた異質でしたね（笑）。面白いなと思ったのはアーティスティックな表現。今回もそうですけれど、彼らの活動そのものはアーティストと組んで行っているけれど、彼らがアーティストをサポートする時には、ただ施工や技術的なサポートを超えて何かクリエイティブに協業をすると、そこがとてもいいなと思います。Chim↑Pomをはじめ結構いろいろな方と一緒に活動しながら自分たちも様々なアイデアを出して表現する。建築というよりも少しアートに近い表現なのかもしれないですが、周りを巻き込みながら軽やかにそれができているということはすごく幸せなことです。GROUPの中には組織設計事務所にいる人がいたり、様々な活動もメンバー構成も流動的であるのは今っぽいですし、スピーディーに時代に対応できるのではないかなと思いました。今後が楽しみです。

平沼：時代背景を読み解く力がすごいですよね、ありがとうございます。次に加藤物井さん。

永山：スパイですよね（笑）。プリンをつくったりしてほっこりしているようにも見えるけれど、心の中には熱い想

いがある。彼女たちはカフェ経営だけではなく、そこで得られたコミュニティを使いながら虎視眈々と次の手を考えていくというところが新しい入り方だなと思いました。そこは石村根市さんと似ていて、中中野というポテンシャルのある場所に身を置きながらその街に関わっていっている。その関わり方も、いろんな活動をされているカフェのお客さんとの出会いからだと言っておられ、その広げ方がすごく面白いですし、これからが本当に楽しみです。

平沼：まだ20代ですからね。この先U-35に再度挑戦してくれるかもと期待できますし、カフェを経営しながら事務所をやりつつ、次のプロジェクトを虎視眈々と狙っている（笑）。

永山：25歳で独立するのは凄いですよね。私が独立したのは26歳の時でした。

平沼：僕らの世代は独立が相対的に早かったように思いますが、あまり社会と関われずに孤立していた感覚。ですが、彼らは既に地域や社会と接点を持っているし、とても優秀です。

永山：そう、胸の内に秘めている熱さを感じられたのが良かったです。まだ大きな仕事を得られず、確固たるポジションや実績がない、若く夢が広がる年齢の頃に、どのように社会に入り込んでいくのか、戦略的に考えないといけないと思うのですが、そこが本当に上手だと思います。

平沼：次にKASAのサーシャと佐藤敬さん。

永山："3年目で息切れ感がある"と皆に言われていましたが、自分たちの作品を通して、公のコミュニケーションを取っていくという提案はとても素晴らしいし、GROUPの井上さんもやっていたように今は協業の時代ですから、全く違う表現者と組んで刺激し合いながら皆で文化をつくりあげ、アーティストたちからフィードバックを受けていくという観点に対して評価していました。ただ3度目の出展で、新しいプロジェクトを出さず、彼らなりに振り返りのようなダイジェストを提示した部分が伝わりづらかったです。実は私も以前に、木屋旅館という場所で、現代美術家の束芋さんと組み表現したことがあるのですが、建築家たちと違った感覚を持っていて、本当に面白いし多くを学びました。

平沼：同い年？で仲が良いと、束芋さんから直接お聞きしました。抜群の才能ですね。

永山:そう、話も合うので大好きです。木屋旅館では他に「きょうの猫村さん」を描いているほしよりこさんともご一緒したのです。私は建築をつくり、ほしさんは木屋旅館を舞台に物語を描いて、その物語を映像作品として束芋さんがつくる。つまりバトンタッチしていくという協業を行いました。一斉に協業するのはなかなか難しいと思うのですが、私は建築でコミュニケーションを計りながら、これをどのように解釈してくれるのかと出題する。すると物語に載せてくれて、また解釈するというようにバトンタッチをするのですが、この方法はベストだなと思いました。そんな経験をしているので、KASAには伝えたその先を見せて欲しかったなと思いました。それが伝えられていれば最高でしたし、もう一度 Gold Medal を獲っていたかもしれません。

平沼:永山さんが木屋旅館で見せられた方式を共有していただいて思うのは・・・まだ難しいのかなぁ。佐藤さんは人柄も良く、サーシャにもすばらしい才能があるのだけれど、永山さんにあるような「らしさ」みたいなものが少し安定しない。個性が違うと言うとそれまでなのですが、個性を均質化するのは、何かが違うと思うのです。

永山:私は割と、この人好きだな、と思うと興味を示したくなります。私は自分に才能があるのかわからないけれど本当に幸せなことに、才能のある人に出会った時に、一緒にやりたいなという嗅覚が反応すると、積極的に示している気がします。

平沼:人懐っこさも含めてそれは感じます(笑)。永山さんはそれに加えて、相手に対してリス

ペクトをきちんと丁寧に示しておられて、それが相手に真心として伝わるからこそ、良い化学反応が起こる。彼らは詰めが甘く見えるので、物事でも人事でももう少し、親切心を高められていかれるといいのかもしれません。

永山：なるほど。今はまだ"自分"に興味があるのではないですか？もちろん私もありますが、同時にすごく人に興味があるので、面白いなと思うと一緒に何かやりたいと飛び込んでいく。それから KASA は二人だからこそ、お互いに補完できてしまうのでしょう。私は一人ぼっちだから（笑）。

平沼：（笑）一人だからこそ、周りに補完できる人を求めていけるのですね。ペアは二人で補い合えるという良い点もありますが、二人の間で完結させてしまうという危険性がある。

永山：そうですね。私も自己完結してしまうことはありますが、一人だからいつも足りていないと感じて、足りないピースを外に求めるのです。もちろんスタッフとやるということもありますが、それとはまた違うところを外に求めている場面が多くあると思います。

平沼：今年の出展者は複数人のユニットで活動している方々ばかりでした。そのような時代に入ったのかな？と言えるけれど、7 組全てがそうだったことには、少し違和感を覚えました。

永山：ユニット独立だと寂しくないからでしょうか（笑）。でも次の展覧会に発展させていけると思いますので、来年を乞うご期待！ということにしておきましょう。

平沼：はい！次は守谷さんと、本当は凄く情熱家！の池田さん（笑）。

永山：この組み合わせも面白かったですよね。彼らの受け答えは本当に素晴らしかった。特に池田さんのブレない感じは良かったです。あれだけ言われると、少しはシュンとしちゃうところがあると思うのですが、全く動じなかった（笑）。どうしても外側に言い訳を求めるという風潮が今はあるではないですか。「社会が求めているのはこれだから」「いいことしてるから」という言い訳をしてしまう。ですが、そもそも建築自体はかっこいいのか、フォルムはどのように決めていくのかなど、本来のモノとしての強度のところをどう語ることができるか、それは多分私たちの中にもありますよね。コミュニティを大事にして、民主化していく動きももちろん大事だけれど、そのモノの魅力をどのように表現するのかはまた少し別の問題で、やはりモノづくりなのだから、もっとフィジカルに手を動かしたい。

平沼：池田さんが「目標地だった U-35 に出展できたからもう建築を辞めてもいいかな」という想いを明かしてくれたのを聞いて、「絶対才能があるからやり続けて欲しい」と伝えました。あの住宅も、池田さんのご実家のプロジェクトだったみたいです。

永山：“U-35 で何を示したのか？” という点において、後の人生を大きく変えることが多いと思いますので是非やり続けてほしいし、若い時に、ご実家が協力してくれる機会は使い倒した方がいい（笑）。せっかくだから、いろいろやりたいことを実験的に試してみた方がいいですね。そして studio anettai。彼らは本当に逞しい（笑）。もともと活動を知っていたのですが、経済的には 300 万円の住宅って設計料いくらなの！？という世界感ではないですか。自分たちのやり方で懸命に新しいスタンダードをベトナムでつくろうという野望。あれは本当に良いと思いました。単に先進国のやり方を真似るのではなく、独自の道を切り開かないといけないからこそ、日本から行った彼らが新しい価値をつくれるように軌道修正していくのでしょう。様々に頑張っている話が聞けて、昨日は本当にハッピーで、建築というのはなんて素晴らしいのだろうかと思いました。

平沼：若手の活動を通じて、そう話される永山さんも素晴らしい。昨日はこのメンバーだったからこそ、議論の時間が足りないと聴講されていた方を含めて皆が感じたのだろうし、壇上で隣にいた藤本さんが僕に「もう少しやろうよ、やろうよ」と言うので、なぜかと聞くと「楽しいから」と言っていたのが印象的です。いつもはそんなことを言わないのでちょっと驚きまし

た（笑）。最後にシンポジウムの総評と Gold Medal を授与したガラージュへのメッセージを記録として残させていただきたいです。

永山：本当に楽しかったですね、ありがとうございます。まず総評としては、全体的にとても良かったと思います。建築のこれからの可能性〜未来を見られたような気がします。この感覚は会場にいた皆さんが感じていたと思いますが、これこそが建築の尊さですし、建築の場は私にとって学校のようなところで、ずっと学び続けられる場所だと思っています。本当にありがたいことに、私みたいな人間がいろいろなことを知る機会をいただけているのは、建築をやってきたからだと思っています。経験値と年齢が上がってきた時に、建築を通して学んできたことで何かでお返しができれば幸せに思います。平沼さんたちがつくられてきたこの取り組みは、そういう大切な場ですね、U-35。

平沼：若い人たちの挑戦の場というだけでなく、僕たちにとっても、意欲を繋ぎ未来を切り開く現場になっているように思います。ありがとうございます。

永山：うんうん。そして Gold Medal を渡したガラージュに関しては、初めは正直、いきなり 100 年という、なかなかなことを言ってくるなと思いました（笑）。全てのプロジェクト、あらゆるイベントが 100 年続くということはほとんどあり得ないことで、受け継がれる信仰的なものがない限り続かない。神社仏閣での祭事などもそうですが、建築もその宗教や信仰祭事に絡んだものはずっと大切にされ、それ以外のものは残りにくいものです。もし今の時代から新しい信仰みたいなことを探し出せたなら、それは大発見ですし、人間の生き方や活動自体を問い直すことにもなりますので、実はとてつもなく壮大な問題定義を彼らはしていて、そこに少しずつ近づこうとしている姿が尊い。本当に素晴らしいことですし、だからこそ応援したいと思いました。建築は何年も建ち続けますので、10 年後にどうなってるかということを頭に入れながら考えていると、たとえ批判されても気にならないように設計者は日々鍛えられるものです。このような感覚を建築は感じさせてくれますし、次の世代へどう繋いでいくのかを大切にやっていかないといけないなと考えさせられました。

平沼：ありがとうございます。Gold Medalを決めるときに迷われなかったですか？

永山：迷わなかったです。提案書の段階から圧倒的でしたので、よほどのことがない限りひっくり返らないなと思っていました（笑）。

平沼：あの提案書の力強さ。引き込まれましたね（笑）。

永山："自分が自分へ"どんな課題を課しているのかを示すのが「提案書」だと思うのですが、圧倒的に大きな課題を自分たちへ課していた。そして最後の渡辺さんの答えが完璧でした。

平沼：そうでした。質疑応答の場面で失敗される方も多い中、信念さえも感じました。今日は本展の展覧会会場で収録させてもらっている醍醐味なのですが、ここで実際に、一つ一つの展示作品を見ながら、審査委員長を務められた永山さんがどのように出展作品を見ておられていたのか、言語化して記録に残させてください。では1つ目、加藤さんと物井さん。

永山：昨日もわりと議論にあがっていましたが、彼らの活動手法、街へのコミットメントがと

ても新鮮。中中野が彼女たちの手で変わっていくのを本当に見てみたいなと思いました。このテーブルの上で示されているようにその街を変える、展示そのものがメタファーとなっていて、カフェテーブルで行われている話の一つ一つが街のスケールに膨らんでいく様子が伺えました。プリンは実物大だけれど、実は語られている話の大きさは違っているという展示が本当に面白かった。今後はカフェに移って展示をすると言っていましたが、それもすごく良いことですね。さすがのスパイぶり（笑）。

平沼：持続的な取り組みが叶えば本当に全てが、彼女たちの関わる建物になるかもしれません。

永山：そのくらいの野望を持ってほしいです（笑）。

平沼：（笑）次に井上さん。

永山：最初の提案は小さかったのですが、この大きさになった。やはり迫りくるものがありますよね。ホワイトハウスという人格が一つ一つ見えてきて、さらにそれが喋る。建物を人格化

するというのがとても面白いし、表現が大好きです。またホワイトハウスに展示してもらえたら、入れ子になってより面白くなります。

平沼：いやぁ、圧倒的なボリュームと声のでる表現手法に驚かされました。次は Gold Medal を受賞したガラージュです。

永山：ガラージュは圧倒的なスケール感と世界観を持っていた。「自分に課題を課してしまいましたね」と言っておられましたが、屈託なく関わっていく彼らの軽やかさが素晴らしい。

平沼：粘土でつくるテトラのつくり方や、スケールを与えてあげているところ。ともすれば粗末に見えそうなほどの繊細さが大好きです。ただ、建築に対しての提示があまりないように感じてしまいました。

永山：そうね、そこはかなり皆に言われていたけれど、建築が 1 番弱く見えるというのが面白いなと思いました。とても力強いですし、山と壮大な自然はずっとあり続けるというスパンの捉え方は、100 年の中で言えば一瞬の出来事かもしれないけれど、その一瞬が形として現れて、そのあと徐々に変わっていくかもしれないことを表現しているのだと思いました。続いて石村根市さん。彼らも自分で街の中に入り込んでスパイをするという野望感が中中野に通じる気がします。全部持ち帰ってまた使えるものでできているし、すごくかっこいい表現です。

平沼：続いて、KASA の山ですね。

永山：それぞれのプロジェクトの標高を表しているのかな？　今後、また別のところで発展していくことを思うと、ここでの展示はまだ発展途上なのだと思うのですが、今後が楽しみだなと思います。よくよく見ていくと一つ一つのプロジェクトは設計含めて本当に上手ですよね。

平沼：スケッチにしても写真にしても凄くセンスがあります。

永山：続いて OBJCETAL は独自の方向性ですが、この住宅はかっこいい。行ってみたいですよね、とても不思議な感じ。

平沼：これに触れたらいいのになぁと思いました（笑）。

永山：そう VR とかでね（笑）。コンピューターを使って三次元で表現することは前の世代からされていることなのですが、全く違うアプローチからどういう形で建築として着地していくのかを示しているところがオリジナリティの出し方であり、そこはもう少し見てみたいところです。studio anettai は、またまた独自の世界感。この住宅、かっこいいですよね。グリッドの引き方もよくできている。本当に海外で逞しくその場所ならではのアイデアを使いながら、人ものびやかに暮らすという、このような幸せな生活は羨ましいなと思います。こちらのコンクリートの素材感もすごくよく考えられていてかっこいいですよね。

平沼：本当に展示が素晴らしいですよね。人がここに溜まっていました（笑）。

永山：その状況を含めて素晴らしかったです！

（GOLD MEDAL 受賞者：小田切さん、瀬尾さん、渡辺さんを交えて）

平沼：それではここからは昨晩、Gold Medal を受賞されたガラージュの皆さんを交えて鼎談させてください。あらためて昨日は、お疲れさまでした。

一同：ありがとうございました！

平沼：まずは出展決定から受賞までを振り返って、コメントをお願いします。

小田切：ありがとうございます。まず僕たちは U-35 へ出展すること自体に、とても意味を感じていました。それはフィールドワークをやって劇場をつくるという、学生の皆さんも関わってくれているプロジェクトに対して、客観的な意見やフィードバックを得たかったですし、取り組み自体を共有してもらい、多くの人たちに活動を知ってもらえるという明確な期待から、あらためて公募自薦で応募しました。僕らはイベントの力をすごく信じている。面白いことをやっていれば、人は遠くからでもやってくるという希望を見出していて、この U-35 にもとても明確な希望を感じていました。昨年一度、出展できた時点で満足している部分もありましたが、2 年連続の出展した上で Gold Medal をいただけたことは本当にうれしく思っています。

平沼:永山さんは応募の時点で圧倒的だったと仰っていましたし、金賞選出の際も全く迷われなかったと。

永山:問いに対する答えも完璧でしたし、私の中では全くぶれなかったです。

渡辺:ありがとうございます。「ひとの一生を越えられる建築をつくりたい」ということ、建築が自分たちの代わりになっていくんだ、ということを伝えたいという切実な思いがあり、演出家の鈴木忠志氏率いる劇団 SCOT が 50 年もの間活動を続けていて、演劇の聖地として知られる利賀村に、喜界島のチームを連れていきました。磯崎新氏が場を象徴するような劇場を設計しています。私たちの活動をどのように繋いでいけるのかを考えるにあたって、100 年を積み上げていくために必ず建築が必要だということが実感できる重要な場を共有したかったのです。

小田切:鈴木氏が、去年の出展作、ドーモ・キニャーナと僕らが設計したシェアハウスを見に来てくださったこともあり、利賀村は絶対に見ないといけないなと思っていました。実際に見ると説得力がすごい。建築が建っていて、演劇をやっていて、人が集まる状況は凄いことだと

思いました。

永山：私もこのような場所があったのか！？と感じました。50年の活動の中心に、まさに建築があるんですよね。あの建築がなかったらやはり違うと思います。

渡辺：磯崎氏は論考の中で、ユニークな活動をしている劇団に対しては相当ユニークな劇場をぶつけたほうがいいと仰っていました。本当にその通りで、ギリシャ劇場と能舞台が合わさった野外劇場で公演中に花火を上げていたり、演劇を観ることと、舞台上で鏡割りをして全員で飲み交わすなど、活動の一連が建築の出来事になっていました。それらをいわゆる建築的に評価するのは難しい気がするのですが、その価値を提示したいという思いで、今年は喜界島プロジェクトを出そうと昨年から決めていました。

永山：出題がわかっていたの？と思うくらい、何も言うことがない完璧な答えでした。全く迷っていなかったのが決め手になりました。それに、この三人のバランスも素晴らしいですよね。全員がそれぞれの役割を担っている幸せな状況。

渡辺：一人だと絶対できないことを、三人でしています。4月に100年の計画書をつくった方がいいと言っていただいていたので、少しずつ作成し始めています。瀬尾が写真と編集に力を入れてくれました。

平沼：彼女たちが本当の意味で、一番のスパイかもしれないですね（笑）。

一同：（爆笑）

永山：（笑）いや、そのうち島の長になっているかもしれないですね。建築というのはそれだけの力があるのだな、とあらためて感じさせられました。建築を真っ直ぐに強く信じているところも良かった。

平沼：いいですよね。とはいえ、審議のときはドキドキしませんでしたか？ studio anettai の発表中に、話が OBJECTAL に移り、議論の中心にはいなかった。

永山:審議のときどう思っていたのかは気になります。

小田切:そうですよね。その時の議論の流れもありますし、他の出展者さんも凄く素晴らしかったですから、どうなるのかは本当にわからないというドキドキはありましたが、最後に一言ずつということになったので、まだチャンスがある!と、こそっと思いました(笑)。

永山:良かった(笑)。エスキースの時にも伝えたのですが、展覧会を使い倒すというのはすごく大事だと思うのです。発表の場は、終わりではなく始まりであり、この場の機会をきっかけに、どこまでジャンプできるのかが一番、大切だと思います。労力をかけて何を得るのかというところを戦略的にでも考えるべきだからね。今後、活動を続ける意味で広めていくためにも PR の場としてきちんと利用しているところも良かったです。

平沼:一度、他薦選出され、出展された本展で、2 年目に自薦で選出され、GOLD MEDAL を受賞されたのはこれまでにないことです。連続で出展される場合も応募される場合も、選考書類を見ただけで、慣れが生じて少し手を抜いたりしているとわかるものなんです。いい加減な展

示に対しての評価も厳しいですし、壇上に晒されている最中も人柄や姿勢も見られます。

渡辺：悔しかった 1 年目、リベンジした 2 年目も、一切手や気を抜いた記憶はなく、相当本気で挑ませていただきました！（笑）

平沼：（笑）これだけ建築展が続いたことは世界的にもないと言われていますので、U-35 に出展される方には、これぞ建築展という展示手法の一つを示して欲しいという期待を持っています。単発で考えるのではなく、継続してやった後に生みだせる新しい展示の形に挑戦してほしいと思っていました。

永山：本当にそういう意味でもまた一歩、建築展の表現が前進する期待に応えてくれていましたし、昨年も今年も素晴らしかった。毎回一筋縄ではいかないような新しい取り組みを発表されていて、問いを遠くに投げていくということを評価しました。すぐに解けるような問題ではないけれどそこをやるべきだし、建築だからこそ解けるのかもしれない。そこに可能性を感じているんだなということに共感しました。だから、すぐには答えが出ないことに取り組んでいるんだということを世の中に共有してほしいし、そういう姿勢を若い世代が持っているということに希望を持っています。

平沼：来年の挑戦者たちのハードルが上がりましたね（笑）。

瀬尾：だけどこれは毎日の積み重ねだと思っていますので、できることを頑張ってやっていきたいです。

永山：同じ建築を目指す仲間としてできることをしよう、という意志を持っているということですよね。

平沼：そう！同士ですよ（笑）。本日はどうもありがとうございました。あー楽しかった！

永山：（笑）こちらこそありがとうございました！本当に楽しかったです。

2024 年 10 月 20 日
U-35 展覧会会場（大阪駅・中央北口前うめきたシップホール）にて

afterword｜平沼孝啓（ひらぬま こうき）
あとがき

known,more unknown
既知より、未知。

　目標を山に例えるなら、優美にそびえ立つ尖った頂を目指し一気に登り切るよりも、起伏の状態から流れる水の道の清らかさを知り、緩やかな山の麓に咲く名もなき草花を見ることで、天候や気候という周辺の環境と共に、変化を感じながら頂を目指したいと思う。恐らく人よりも臆病な性格なのだろう。急な山を一気に登り切ることができても、その頂に留まるために纏わる苦難さを考えると、気を抜けば急な坂道を転がるように落ちてしまうように考えてしまう。できればこの目標という頂を目指すうちに息絶えれば、どれほど幸せだろうなどと、物心ついた頃からボンヤリと感じていた。第二次ベビーブーム時代に生まれ、1学年12クラスもあった中学時代、クラスメートとの順位や競争社会で培われたものがある。きっとその頃は「目的のない奴」と言われていたかもしれない。成人して世の中に放たれた自分が、どの程度の者なのか腕試しをしてみたい気もしないではない。また輩となる方から素晴らしいご活躍の話をお聞きするごとに、その景色を見てみたいと強く思う。しかし、これらをマネたところで、自分の置かれたそれまでの文脈と地点、環境や時代性、人間性の違いがあるため、全く同じ道を辿るわけではないということ。何度も考え苦しんで得た回答は、自らが納得でき、他者と比較することなく、想いを切り開いていくということだった。それがひとつのオリジナリティであるかもしれないし、これからの時代の建築家という職能に合っているのではないかと、ようやく思えてきた。

　他者と比べることで安心も得られるが、不安に駆られることもある。でも自分との闘いという葛藤の中でこそ、目標に到達するプロセスを描くことが叶う気がするようになってきた。一種のバイアスとして捉えられてしまうかもしれないが誤解を恐れずに言うならば、人には何かの特性があると決めつけることでも、それと異なる人々の行動や、個人の希望を制約しかねない。近年求められるジェンダー論にしても、立派な大人が放つ人生観の決めつけなのかもしれない。また励みを与えようと投げかける多くの言葉にも、意思や意欲、そして夢を制約させる可能性があることをあらためて感じる。自分にとっての目標は頂に到達しないことであり、頂に到達するまでのプロセスを大

切にしたい。U-35 のシンポジウムで毎年変わる若い出展者たちの発言と、建築家・史家との議論を通じて、その場を共有する関係者や来場者と共に、少しずつアップデートされるこの場の必然性を確かなものとして、最も大切にしていきたい。

　開催を重ねるたびに狭き門となった建築家への登竜門のような存在となりつつある公募へ、果敢にも応募し選出される出展者たちは、自身の頭の中にある考えを見つめ直し、出展を通じて広く発表していくにあたり、今までに経験をしたことのないような大きな苦難にも直面しながら、本当によく考えていると毎年感心しているし、頭の中にある思想を、最後まで諦めずに表現をし尽そうと信念を貫いていることにも敬意を表したい。この展覧会を通じて人に共有してもらい批評をもらうことで、この時代の建築が人と相互に関連しあい存在し続けていることを再認識すると共に、このような建築展の継続から新しい発展的な表現を行う、ひとつの分野のあり方を深く追求し、そうしてできあがる人との対話のあり方やその場を共有する空間という、あらたな価値を生み出す今後の場の予想図に期待しないわけがない。

　16 度目の建築展の実現にあたり、幾度となく継続的なご支援をいただきます、関係者各位のご厚意に、心より深く御礼を申し上げます。

（2025 年 4 月 13 日　日本国際博覧会開幕日・地元大阪にて）

acknowledgements

関係者一覧

events | U-35 展

記念シンポジウム＆関連イベント概要

U-35 記念シンポジウム I　meets U-35出展若手建築家
日時　**2025年10月18日（土）** 15:30-19:30
　　　（14:00 開場　15:30 第一部開演　17:50 第二部開演　19:30 終了）

ゲスト建築家・建築史家
芦澤竜一 × 五十嵐淳 × 永山祐子 × 平田晃久 × 平沼孝啓 × 藤本壮介 × 吉村靖孝 × 五十嵐太郎 × 倉方俊輔

芦澤竜一（あしざわ・りゅういち）建築家
1971年神奈川生まれ。94年早稲田大学卒業後、安藤忠雄建築研究所勤務。01年芦澤竜一建築設計事務所設立。滋賀県立大学教授。日本建築士会連合会賞など国内外で多くの賞を受賞している。

五十嵐淳（いがらし・じゅん）建築家
1970年北海道生まれ。97年五十嵐淳建築設計事務所設立。著書「五十嵐淳／状態の表示」（10年彰国社）・「五十嵐淳/状態の構築」（11年TOTO出版）。主な受賞・吉岡賞、JIA新人賞、北海道建築賞など。

永山祐子（ながやま・ゆうこ）建築家
1975年東京生まれ。98-02年青木淳建築計画事務所勤務。02年永山祐子建築設計設立。主な仕事「LOUIS VUITTON 京都大丸店」「ドバイ国際博覧会日本館」「東急歌舞伎町タワー（2023）」など。

平田晃久（ひらた・あきひさ）建築家
1971年大阪生まれ。97-05年伊東豊雄建築設計事務所勤務。05年平田晃久建築設計事務所設立。現在、京都大学教授。第13回ベネチアビエンナーレ金獅子賞（日本館）、22年日本建築学会賞など多数を受賞。

平沼孝啓（ひらぬま・こうき）建築家
1971年大阪生まれ。ロンドンのAAスクールで建築を学び99年平沼孝啓建築研究所設立。08年「東京大学くうかん実験棟」でグランドデザイン国際建築賞、18年「建築の展覧会」で日本建築学会教育賞。

藤本壮介（ふじもと・そうすけ）建築家
1971年北海道生まれ。東京大学工学部建築学科卒業後、00年藤本壮介建築設計事務所設立。主な作品にロンドンのサーペンタインパビリオンなど。第13回ベネチアビエンナーレ金獅子賞（日本館）など多数を受賞する。

吉村靖孝（よしむら・やすたか）建築家
1972年愛知生まれ。97年早稲田大学大学院修士課程修了。99-01年MVRDV勤務。05年吉村靖孝建築設計事務所設立。早稲田大学教授。主な受賞に吉岡賞、アジアデザイン賞金賞など多数を受賞する。

五十嵐太郎（いがらし・たろう）建築史・批評家
1967年パリ（フランス）生まれ。92年東京大学大学院修士課程修了。博士（工学）。東北大学教授。あいちトリエンナーレ2013芸術監督。芸術選奨新人賞など多数を受賞する。

倉方俊輔（くらかた・しゅんすけ）建築史家
1971年東京生まれ。大阪公立大学教授。『東京モダン建築さんぽ』『吉阪隆正とル・コルビュジエ』『伊東忠太建築資料集』など著書多数。イケフェス大阪実行委員。主な受賞に日本建築学会賞（業績）（教育貢献）ほか。

出展者の作品発表とゲスト建築家による審査により、Under 35 Architects exhibition 2025 Gold Medal が1点贈られます。

U-35 記念シンポジウム II　meets U-35出展若手建築家
日時　**2025年10月25日（土）** 15:30-19:30
　　　（14:00 開場　15:30 第一部開演　18:00 第二部開演　19:30 終了）

ゲスト建築家（歴代 U-35 Gold Medal受賞者）
酒井亮憲 × 三井嶺 × 佐々木慧 × Aleksandra Kovaleva＋佐藤敬 × 小田切駿＋瀬尾憲司＋渡辺瑞帆

2016 Gold Medal
酒井亮憲（さかい・あきのり）
1981年愛知生まれ。大学院在学中にstudio42を設立。「80人のための礼拝堂」（U-35出展）、セカンドハウス「木々をすごし囲う水耕栽培等の研究所」labo372」など。東京と愛知を拠点に活動。

2017 Gold Medal
三井嶺（みつい・れい）
1983年愛知生まれ、2006年東京大学工学部建築学科卒業、2008年同大学大学院工学系研究科建築学専攻修士課程修了（日本建築史専攻）、2008～15年松屋建築設計を経て、2015年三井嶺建築設計事務所設立。

2022 Gold Medal
佐々木慧（ささき・けい）
1987年長崎県生まれ。2010年九州大学芸術工学部卒業、2013年東京藝術大学大学院修了。藤本壮介建築設計事務所を経て、2021年axonometric Inc.を設立。主な受賞歴にiF Design Award 金賞受賞など。

2023 Gold Medal
Aleksandra Kovaleva（あれくさんどら・こづぁれうぁ）＋佐藤敬（さとう・けい）
2019年KASA共同主宰（2名共通）。
Kovaleva／1989年モスクワ生まれ、2014年モスクワ建築学校MARCH大学院修了、2014-19年石上純也建築設計事務所。
佐藤敬／1987年三重県生まれ、2012年早稲田大学大学院修了（石山修武研究室）、2012-19年石上純也建築設計事務所。

2024 Gold Medal
小田切駿（おだぎり・はやお）＋瀬尾憲司（せお・けんじ）＋渡辺瑞帆（わたなべ・みずほ）
1991年生まれ。2016年早稲田大学大学院修了。2021年ガラージュを共同設立（3人共通）。
小田切／2016-20年SANAAを経てハヤオオダギリアーキテクツ設立。
瀬尾／2017年〜建築映像作家として活動。
渡辺／2016-18年フジワラボを経て独立、セノグラファーとして活動。

進行（建築家・建築史家）
平沼孝啓 × 倉方俊輔

歴代 U-35 Gold Medal 受賞者による審査により、Under 35 Architects exhibition 2025 Silver Medal が1点贈られます。

RELATED EVENTS | 関連イベント（展覧会会場内）［予告］
うめきたシップホール2階

10月

● ギャラリーイベント　各回定員｜30名
　12：30開場－13：00開演－15：00終了－15：30閉場
● ギャラリートーク　各回定員｜30名
　15：30開場－16：00開演－17：00終了－17：30閉場
● イブニングレクチャー　各回定員｜30名（当日整理券配布）
　17：30開場－18：00開演－19：30終了－20：00閉場

	Fri	Sat
	17 開幕 （展覧会開催初日） 12:00 開場 20:00 閉場	**18** 12:00-14:00 ギャラリーイベント ユニオン
	13:00-15:00 ギャラリーイベント ダイキン工業	15:30-19:30 記念シンポジウムⅠ ゲスト建築家 芦澤竜一、五十嵐淳、永山祐子、平田晃久、平沼孝啓、藤本壮介、吉村靖孝 五十嵐太郎、倉方俊輔 meets U-35 出展者
	16:00-17:30 イブニングレクチャー 藤本壮介	

Sun	Mon	Tue	Wed	Thu		
19 13:00-15:00 ギャラリーイベント JIA	**20** 13:00-15:00 ギャラリーイベント オカムラ	**21** 13:00-15:00 ギャラリーイベント シェルター	**22** 13:00-15:00 ギャラリーイベント 生きた建築ミュージアム	**23** 13:00-15:00 ギャラリーイベント パナソニック	**24** 13:00-15:00 ギャラリーイベント 丹青社	**25**
16:00-17:00 ギャラリートーク 石田雄琉＋房川修英	16:00-17:00 ギャラリートーク 上田満盛＋大坪良樹	16:00-17:00 ギャラリートーク 下田直彦	16:00-17:00 ギャラリートーク 成定由香沙	16:00-17:00 ギャラリートーク 上野辰太朗	16:00-17:00 ギャラリートーク 田代夢女	15:30-19:30 記念シンポジウムⅡ ゲスト建築家 酒井亮憲、三井僚、佐々木慧、Aleksandra Kovaleva＋佐藤敬、小田代陵＋瀬尾憲司＋渡辺瑞帆、平沼孝啓、倉方俊輔 meets U-35 出展者
18:00-19:30 イブニングレクチャー 平田晃久	18:00-19:30 イブニングレクチャー 五十嵐淳	18:00-19:30 イブニングレクチャー 吉村靖孝	18:00-19:30 イブニングレクチャー 倉方俊輔	18:00-19:30 イブニングレクチャー 芦澤竜一	18:00-19:30 イブニングレクチャー 五十嵐太郎	

26 13:00-15:00 ゴールドメダルトーク 2016 酒井亮憲	**27** 最終日 12:00-14:00 ギャラリーイベント ケイミュー	※ギャラリーイベント・ギャラリートークは事前のお申し込みが必要です。 ※イブニングレクチャーは当日12時より、シップホール2階にて整理券を配布します。（当日に限り展覧会場へ再入場可能・最終日分は前日配布） ※講演内容、時間、および講演者は変更になる場合があります。
16:00-17:00 ギャラリートーク 工藤希久枝＋工藤浩平	15:00-16:30 イブニングレクチャー 永山祐子	
18:00-19:30 イブニングレクチャー 平沼孝啓	（展覧会開催終了日） 16:30 最終案内 17:00 閉館	

● 展覧会入場料が必要です（￥1,000）

● 要事前申込み　http://u35.aaf.ac/　または【U35】で検索

U-35 記念シンポジウム

会　場	グランフロント大阪 北館4階 ナレッジシアター
定　員	381名　（事前申込制・当日会場にて先着順座席選択）
入　場	￥1,000
問合せ	一般社団法人ナレッジキャピタル 〒530-0011　大阪市北区大深町3-1 グランフロント大阪 北館 4Fナレッジシアター TEL　06-6372-6434 ※ JR「大阪駅」中央口（うめきた広場）より徒歩3分 　Osaka Metro御堂筋線「梅田駅」より徒歩3分
申込方法	下記ウェブサイトの申込みフォームよりお申し込みください。 http://u35.aaf.ac/

U-35 展覧会 オペレーションブック 2025
展覧会開催記念限定本

発　行　日	2025年6月1日（日）	
会　　　期	2025年10月17日（金）- 27日（月）	
会　　　場	うめきたシップホール（グランフロント大阪 うめきた広場2F）	
執　　　筆	石田雄琉＋房川修英　上田満盛＋大坪良樹　上野辰太朗　工藤希久枝＋工藤浩平	
	下田直彦　田代夢々　成定由香沙	
特 別 寄 稿	橋村公英（東大寺）	
	音羽悟（神宮司庁）	
	丸山優子（山下PMC）	
	石井克典（ダイキン工業）	
	尾植正順（大阪市都市整備局）	
	佐野洋志（グランフロントTMO）	
	平沼孝啓（平沼孝啓建築研究所）	
発　　　行	アートアンドアーキテクトフェスタ	
アートディレクション 制 作・編 集	平沼佐知子（平沼孝啓建築研究所）	
学 生 協 力	印南学哉（名古屋工業大学大学院）上山澄空（近畿大学）奥西真夢（東京理科大学大学院）阪上ちひろ（大阪公立大学）	
	杉田美咲（大阪公立大学大学院）高田颯斗（立命館大学）竹本早希（武庫川女子大学）武本流碧（岡山大学）勅使河原里奈（東京理科大学）	
	奈良翼（大阪工業大学）西中文汰朗（日本建築藝術大学校）堀之内大視（武蔵野大学）松崎康太郎（大阪工業技術専門学校）	
	森本元（畿央大学）安井絢音（武庫川女子大学）山田奈々生（大阪工業大学大学院）中山麗香	
印刷・製本	グラフィック	
撮 影・写 真	繁田諭（繁田諭写真事務所）	

© 2025 AAF Art & Architect Festa, Printed in Japan

192 | colophon